ILUSTROWANY
SŁOWNIK
angielsko-polski

z Martynką

GRUPA WYDAWNICZA
PUBLICAT S.A.

Firma rozpoczęła swoją działalność w 1990 roku pod nazwą Podsiedlik-Raniowski i Spółka.
W 2004 roku przyjęto nazwę PUBLICAT S.A., w tym samym roku w skład grupy PUBLICAT
weszło wrocławskie Wydawnictwo Dolnośląskie. W 2005 roku dołączyło do niej katowickie
Wydawnictwo Książnica. Rok 2006 to objęcie nazwą Papilon programu książek dla dzieci.
W roku 2007 częścią grupy stała się warszawska Elipsa.

Papilon	**Publicat**	**Elipsa**	**Wydawnictwo Dolnośląskie**	**Książnica**
baśnie i bajki, klasyka polskiej poezji dla dzieci, wiersze i opowiadania, książki edukacyjne, nauka języków obcych dla dzieci	książki kulinarne, poradniki, książki popularnonaukowe, literatura krajoznawcza, hobby, edukacja	albumy tematyczne: malarstwo, historia, krajobrazy i przyroda, albumy popularnonaukowe	literatura faktu i poradnikowa, historia, biografie, literatura współczesna, kryminał i sensacja, fantastyka, literatura dziecięca i młodzieżowa	literatura kobieca, powieść historyczna, powieść obyczajowa, fantastyka, sensacja, thriller i horror, beletrystyka w wydaniu kieszonkowym, książki popularnonaukowe

Tytuł oryginału – J'apprends l'anglais avec Martine

Wykorzystane ilustracje pochodzą z książek autorstwa Gilberta Delahaye'a i Marcela Marliera

Tłumaczenie – Katarzyna Kalisiak

Projekt okładki – Robert Reich

Skład i łamanie – AKCES

ISBN 978-83-245-7263-2

Papilon – znak towarowy
Publicat S.A.

61-003 Poznań, ul. Chlebowa 24

tel. 61 652 92 52, fax 61 652 92 00

e-mail: papilon@publicat.pl

www.publicat.pl

ILUSTROWANY
SŁOWNIK
angielsko-polski

z Martynką

Tekst
Sylvie Decaux
Ilustracje
Marcel Marlier

Papilon

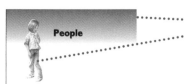

People

kolor
ilustracja
charaktery-
styczna dla
każdego
rozdziału

At home

At school

Hobbies

Places

Holidays

The world

Temat rozdziału

Temat strony

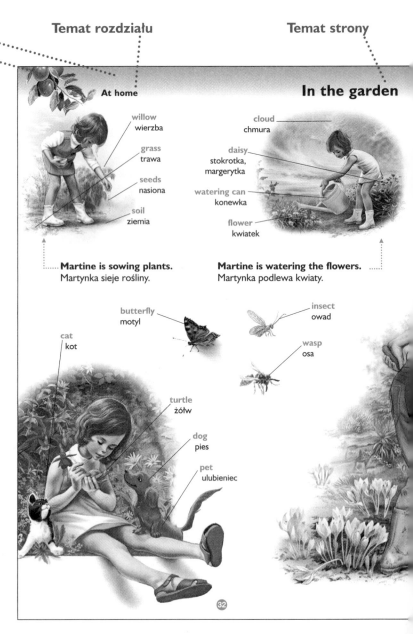

At home

willow
wierzba

grass
trawa

seeds
nasiona

soil
ziemia

In the garden

cloud
chmura

daisy
stokrotka,
margerytka

watering can
konewka

flower
kwiatek

Martine is sowing plants.
Martynka sieje rośliny.

Martine is watering the flowers.
Martynka podlewa kwiaty.

butterfly
motyl

insect
owad

wasp
osa

cat
kot

turtle
żółw

dog
pies

pet
ulubieniec

32

Słownik angielsko–polski

Skróty:
adj.: przymiotnik   int.: wykrzyknik
adv.: przysłówek   n.: rzeczownik
conj.: spójnik   prep.: przyimek
   v.: czasownik

above (prep.): nad   83
accident (n.): wypadek   56
action (n.): czynność   18
activity (n.): zajęcie   46
adult (n.): dorosły   7
aeroplane (n.): samolot   67
after (prep.): po   19, 35
afternoon (n.): popołudnie   80
airport (n.): lotnisko   67
ambulance (n.): ambulans   56
ancestor (n.): przodek   7
anchor (n.): kotwica   66
angry (adj.): zły   17
animal (n.): zwierzę   61, 62
ankle (n.): kostka   8

bathroom cabinet (n.): szafka
    łazienkowa   25
bathtub (n.): wanna   25
be (v.): być
   - **be afraid of:** bać się   59
   - **be bored:** być znudzonym 16
   - **be hungry:** być głodnym   26,
     28
   - **be kneeling:** klęczęć   9
   - **be lying:** leżeć   9
   - **be scared:** być
     przestraszonym   17
   - **be sitting:** siedzieć   9
   - **be standing:** stać   9, 54
   - **be thirsty:** być spragnionym
     29

boot (n.): wysoki but, botek   12
boot (n.): bagażnik, kufer   64
bottle (n.): butelka   28
bottom (n.): pośladki   9
bow (n.): smyczek   43
bow tie (n.): muszka   72
bowl (n.): czara   26
box (n.): pudełko   21
boy (n.): chłopiec   7, 62, 65, 74
bracelet (n.): bransoleta   13
braid (n.): warkocz   11
branch (n.): gałąź   58
brass band (n.): orkiestra dęta

bread (n.): chleb   28
break (n.): przerwa   34

candle (n.): świeczka   51, 77
canteen (n.): stołówka   35
cap (n.): czapka   12
captain (n.): kapitan   66
car (n.): samochód   64
card (n.): karta   72
carriage (n.): wagon   64
carrot (n.): marchew   30
castle (n.): zamek   50
cat (n.): kot   32, 51, 82
catch (v.): łapać   58
cauldron (n.): kocioł   51
cauliflower (n.): kalafior   30
ceiling (n.): sufit   20
cello (n.): wiolonczela   43
chair (n.): krzesło   21, 36

słowo w języku
angielskim

kategoria
gramatyczna

tłumaczenie
na język polski

brother (n.): brat   **6, 71**
brown (adj.): brązowy   **40**

numer strony, na której to słowo znajdziemy

4

ze słownika? ....

Temat strony
w języku polskim

Temat rozdziału
w języku polskim

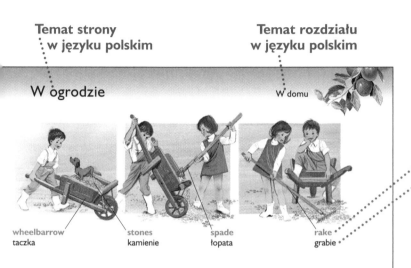

W ogrodzie

W domu

wheelbarrow
taczka

stones
kamienie

spade
łopata

rake
grabie

The children are working hard.
Dzieci ciężko pracują.

hoe
motyka

fire
ogień

weed
chwast

Uczymy się nowych słówek

słowo w języku angielskim
tłumaczenie

Uczymy się porozumiewać

zdanie w języku angielskim
tłumaczenie

Uczymy się rozumieć tekst

strzałki wskazują obraz, który
opisuje słowo

ze słowników

słowo w języku
polskim

tłumaczenie
na język
angielski

wkrótce: soon   **26, 57**
biżuteria: jewellery   **13**

numer strony, na której to słowo znajdziemy

Słownik polsko–angielski

ale: but 30
aleja: avenue 52
ambulans: ambulance 56
ananas: pineapple 31
aparat fotograficzny:
  camera 14
arena cyrkowa: circus
  ring 73
autobus: bus 53
autobus szkolny: school
  bus 35
brudny: dirty 17
brzeg: bank 58
brzuch: tummy 8
brzydki: ugly 51

botek: boot 12
Boże Narodzenie: Christmas
  76
ból głowy: headache 57
brać: take 18, 70
bramka: goal 44
bransoleta: bracelet 13
brat: brother 6, 71
brązowy: brown 40
broda (zarost): beard 11
broda: chin 10
brokuły: broccoli 30

ciężarówka: lorry 49
ciężki, ciężko: havy 33
ciocia: aunt 7
córka: daughter 6
cukier: sugar 31
cylinder: top hat 72
cyrk: circus 72
cytryna: lemon 31
czapka: cap 12
czara: bowl 26
czarny: black 40, 51
czarodziej: magician 72
czarodziejska różdżka:
  magic wand 72
czekać na: wait for 53
czekolada: chocolate 79

drugi: second 39
drut: needle 46
drzewo: tree 54, 58, 83
drzwi: door 20
drzwiczki (samochodu):
  door 64
dumny: proud 16
dużo: lot of 6, 31
duży: big 41, 61
dworzec: station 64
dynia: pumpkin 30
dywan: rug 22
dzban: jug 29
dziadek: grandfather 7
dzieci: children 58, 34-37, 44,
  46, 50, 54, 55, 69, 71, 83
dziecko: baby 6, 24

The family

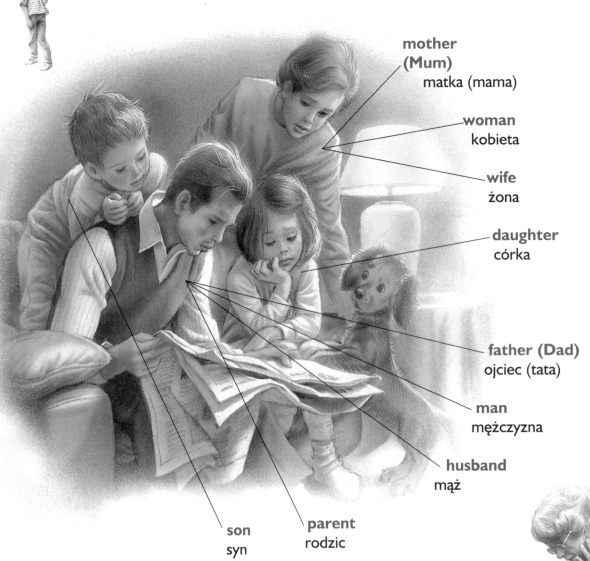

**mother
(Mum)**
matka (mama)

woman
kobieta

wife
żona

daughter
córka

father (Dad)
ojciec (tata)

man
mężczyzna

husband
mąż

son
syn

parent
rodzic

**Martine has got two brothers,
cousins, and lots of friends.**
Martynka ma dwóch braci, kuzynów
i wielu przyjaciół.

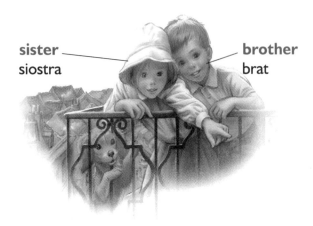

sister
siostra

brother
brat

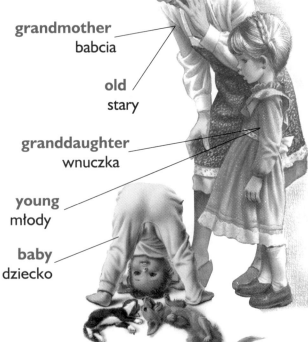

grandmother
babcia

old
stary

granddaughter
wnuczka

young
młody

baby
dziecko

Rodzina

grandfather
dziadek

great-grandfather
pradziadek

uncle
wujek

cousin
kuzyn

ancestors
przodkowie

The children are looking at old family photographs.
Dzieci oglądają stare rodzinne zdjęcia.

Martine is kissing her friend.
Martynka daje buziaka swojemu przyjacielowi.

Aunt Lucie
Ciocia Lusia

adult
dorosły

friend
przyjaciel

child
dziecko

boy
chłopiec

girl
dziewczynka

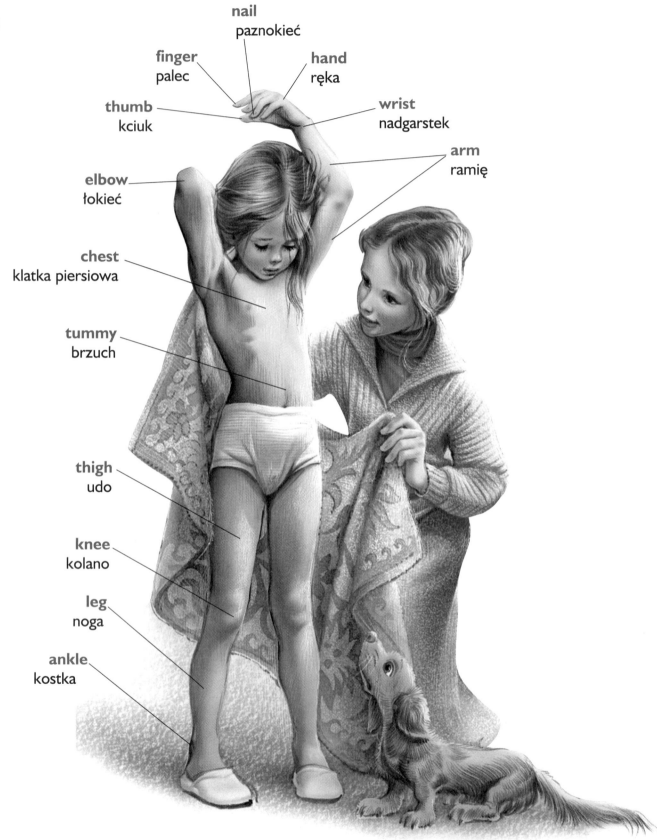

nail
paznokieć

finger
palec

hand
ręka

thumb
kciuk

wrist
nadgarstek

arm
ramię

elbow
łokieć

chest
klatka piersiowa

tummy
brzuch

thigh
udo

knee
kolano

leg
noga

ankle
kostka

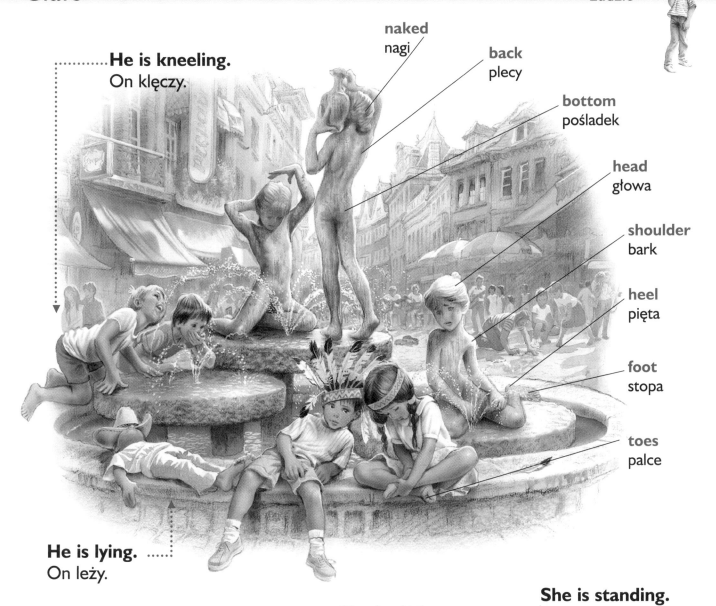

He is kneeling.
On klęczy.

naked
nagi

back
plecy

bottom
pośladek

head
głowa

shoulder
bark

heel
pięta

foot
stopa

toes
palce

He is lying.
On leży.

She is sitting.
Ona siedzi.

She is standing.
Ona stoi.

thin
szczupły

fat
tęgi

Face
Twarz

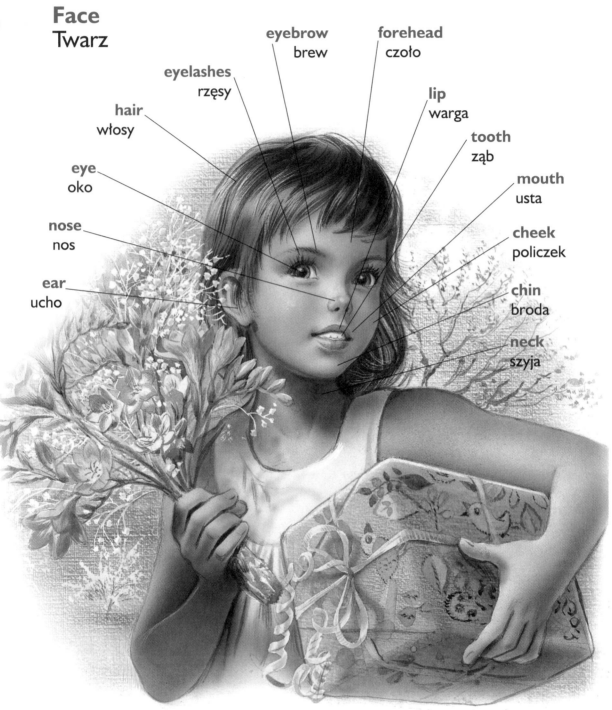

eyebrow
brew

forehead
czoło

eyelashes
rzęsy

lip
warga

hair
włosy

tooth
ząb

eye
oko

mouth
usta

nose
nos

cheek
policzek

ear
ucho

chin
broda

neck
szyja

You smell with your nose.
Wąchasz swoim nosem.

You see with your eyes.
Patrzysz swoimi oczami.

You taste with your tongue.
Czujesz smak swoim językiem.

You hear with your ears.
Słyszysz swoimi uszami.

You touch with your skin.
Dotykasz swoją skórą.

bald
łysy

bun
kok

She is blond.
Ona jest blondynką.

He has got red hair.
On ma rude włosy.

He has got dark hair.
On ma ciemne włosy.

ponytail
kucyk

pigtail
kitka

tongue
język

beard
broda

braid
warkocz

short hair
krótkie włosy

long hair
długie włosy

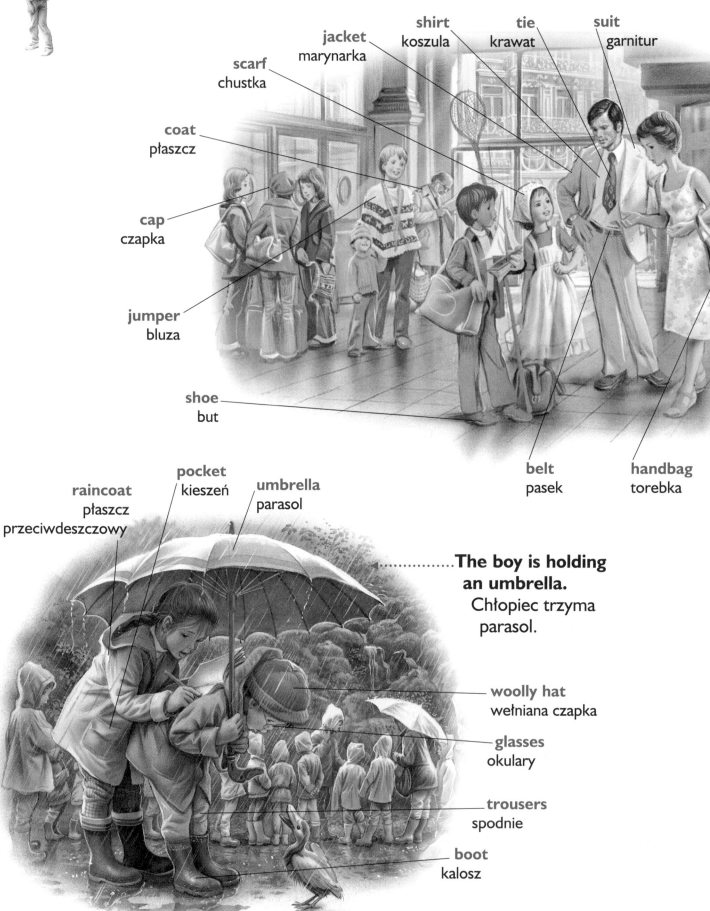

jacket
marynarka

shirt
koszula

tie
krawat

suit
garnitur

scarf
chustka

coat
płaszcz

cap
czapka

jumper
bluza

shoe
but

belt
pasek

handbag
torebka

raincoat
płaszcz
przeciwdeszczowy

pocket
kieszeń

umbrella
parasol

················**The boy is holding
an umbrella.**
Chłopiec trzyma
parasol.

woolly hat
wełniana czapka

glasses
okulary

trousers
spodnie

boot
kalosz

Ubrania

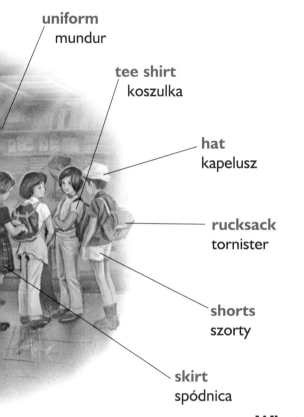

uniform
mundur

tee shirt
koszulka

hat
kapelusz

rucksack
tornister

shorts
szorty

skirt
spódnica

dress
sukienka

knickers
majtki

petticoat
halka

sock
skarpeta

sandal
sandał

What is Dad wearing today?
W co ubrany jest dziś tata?

Dad is wearing a suit.
Tata jest ubrany w garnitur.

Mum loves jewellery.
Mama uwielbia biżuterię.

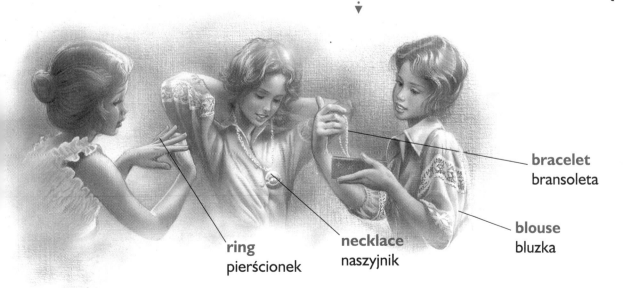

bracelet
bransoleta

blouse
bluzka

ring
pierścionek

necklace
naszyjnik

stewardess
stewardesa

pilot
pilot

policeman
policjant

cook
kucharz

What do you want to be when you grow up?
Kim chcesz zostać, kiedy dorośniesz?

A fireman, like my father.
Strażakiem, jak mój ojciec.

camera
aparat

musician
muzyk

photographer
fotograf

teacher
nauczyciel

doctor
lekarz

medicine
lekarstwo

postman
listonosz

letterbox
skrzynka na listy

letter
list

stamp
znaczek

envelope
koperta

dustman
zamiatacz ulic

broom
miotła

dustbin
kosz na śmieci

plumber
hydraulik

tool
narzędzie

toolbox
skrzynka
na narzędzia

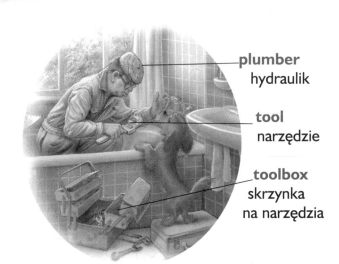

They are bored.
Oni są znudzeni.

He is surprised.
On jest zaskoczony.

He is laughing.
On się śmieje.

How are you Martine?
Jak się masz, Martynko?

I feel awful.
Czuję się okropnie.

He is happy.
On jest szczęśliwy.

How are you Jean?
Jak się masz, Jean?

I'm fine, thank you.
Świetnie, dziękuję.

She is proud.
Ona jest dumna.

She is smiling.
Ona się uśmiecha.

She is clapping.
Ona klaszcze.

Well done!
Brawo!

Uczucia

She is angry.
Ona jest zła.

He is sad.
On jest smutny.

He is crying.
On płacze.

She is nice.
Ona jest miła.

They are scared.
Oni są przestraszeni.

She is comforting him.
Ona go pociesza.

She is dirty.
Ona jest brudna.

He is clean.
On jest czysty.

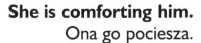

This is good. Yum-yum!
To dobre. Mniam, mniam!

This is bad. Yuck!
To niedobre. Ble!

climb
wspinać się

hide
ukryć się

find
znaleźć

fight
bić się

bite
gryźć

cry
płakać

fall
upaść

take
wziąć

give
dać

push
pchać

roll
zwijać

call
dzwonić

telephone
telefon

shout
krzyczeć

run
biec

run away
uciekać

The cook is running after Patapouf. What a naughty dog!
Kucharz biegnie za Pufkiem. Co za niegrzeczny pies!

steal
ukraść

Don't break anything!
Nie stłucz niczego!

pour
nalewać

hold
trzymać

empty
pusty

full
pełny

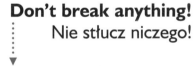

pull
ciągnąć

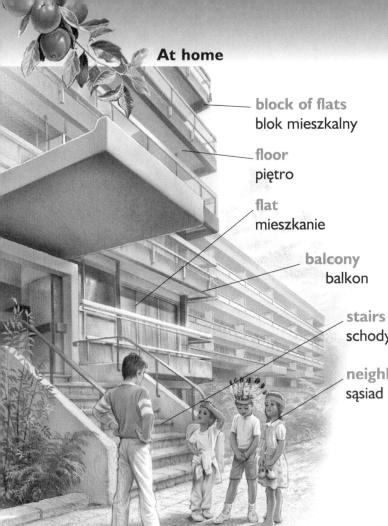

block of flats
blok mieszkalny

floor
piętro

flat
mieszkanie

balcony
balkon

stairs
schody

neighbour
sąsiad

Outside
Na zewnątrz

Where do you live?
Gdzie mieszkasz?

We live on the third floor.
Mieszkamy na trzecim piętrze.

...The block of flats is in a city.
Blok jest w mieście.

The house is in a village.
Dom jest na wsi.

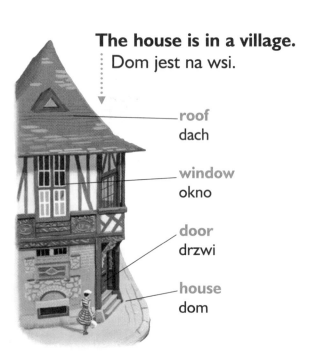

roof
dach

window
okno

door
drzwi

house
dom

ceiling
sufit

lamp
lampa

wall
ściana

painting
obraz

settee
kanapa

Domy

Inside
Wewnątrz

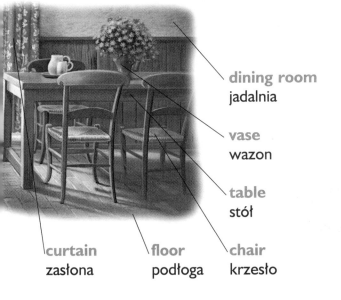

dining room
jadalnia

vase
wazon

table
stół

curtain
zasłona

floor
podłoga

chair
krzesło

armchair
fotel

box
skrzynka

attic
strych

furniture
meble

room
pokój

living room
salon

fireplace
kominek

cushion
poduszka

houseplant
roślina domowa

keys
klucze

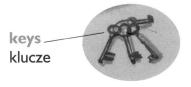

Open the door!
Otwórz drzwi!

Close the door!
Zamknij drzwi!

Lock the door!
Zamknij drzwi na klucz!

rug
dywan

blanket
koc

night
noc

stars
gwiazdy

pillow
poduszka

light
światło

Teddy is yawning.
Miś ziewa.

storybook
książka
z opowiadaniami

She is asleep.
Ona śpi.

sheet
pościel

Time to switch off the light!
Czas zgasić światło!

Martine is sleeping. She is dreaming.
Martynka śpi. Ona śni.

I hope she doesn't have a nightmare!
Mam nadzieję, że nie ma koszmaru!

W sypialni

She is tired.
Ona jest zmęczona.

dressing gown
szlafrok

nightdress
koszula nocna

slippers
pantofle

bed
łóżko

pyjamas
piżama

Wake up Martine! It's morning.
Obudź się, Martynko! Jest ranek.

I am awake.
Jestem przebudzona.

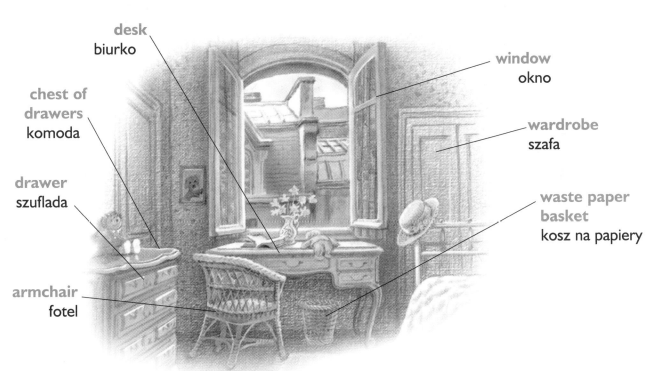

desk
biurko

window
okno

chest of drawers
komoda

wardrobe
szafa

drawer
szuflada

waste paper basket
kosz na papiery

armchair
fotel

In the bathroom

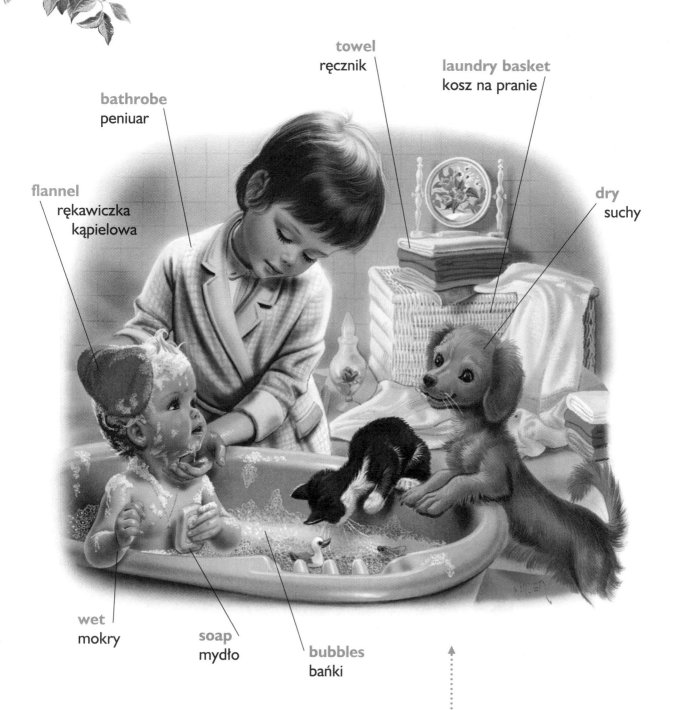

towel
ręcznik

laundry basket
kosz na pranie

bathrobe
peniuar

dry
suchy

flannel
rękawiczka
kąpielowa

wet
mokry

soap
mydło

bubbles
bańki

Baby is having a bath.
Dziecko się kąpie.

Martine is washing him.
Martynka je myje.

Don't fall in the water, Moustache!
Nie wpadnij do wody, Wąsatku!

W łazience

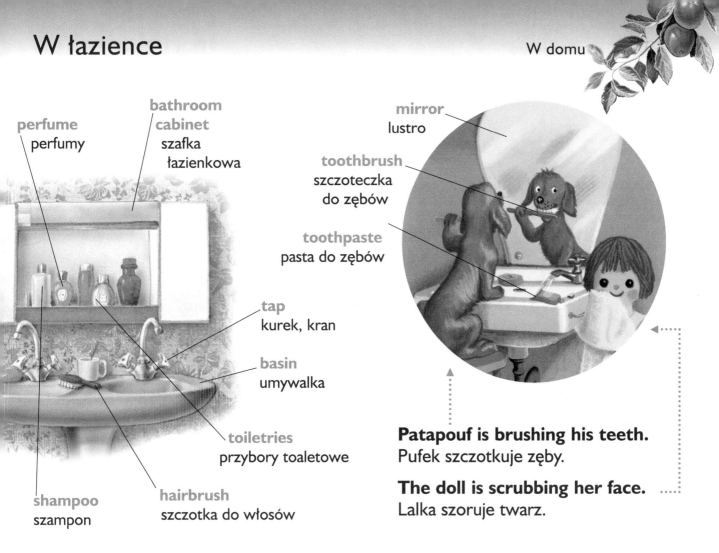

perfume
perfumy

bathroom cabinet
szafka łazienkowa

mirror
lustro

toothbrush
szczoteczka do zębów

toothpaste
pasta do zębów

tap
kurek, kran

basin
umywalka

toiletries
przybory toaletowe

shampoo
szampon

hairbrush
szczotka do włosów

Patapouf is brushing his teeth.
Pufek szczotkuje zęby.

The doll is scrubbing her face.
Lalka szoruje twarz.

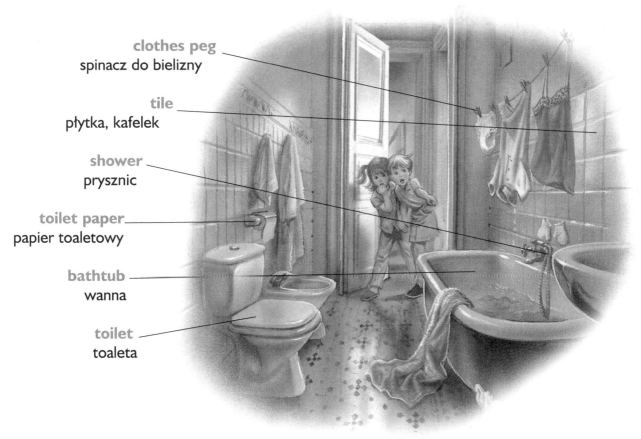

clothes peg
spinacz do bielizny

tile
płytka, kafelek

shower
prysznic

toilet paper
papier toaletowy

bathtub
wanna

toilet
toaleta

Martine is cooking.
Martynka gotuje.

eggcup
kieliszek do jaj

egg
jajko

bowl
czara

shelf
półka

cupboard
szafka,
kredens

Frédéric is hungry.
Frederic jest głodny.

**His soft-boiled egg
will soon be ready.**
Jego jajko na miękko
wkrótce będzie gotowe.

cooker
kuchenka

oven
piecyk

**Martine has not
paid attention.**
Martynka nie
uważała.

**The milk has
spilled over.**
Mleko się rozlało.

milk
mleko

saucepan
rondel

Jean is doing the washing-up.
Jean zmywa naczynia.

Jean is drying the dishes.
Jean wyciera naczynia.

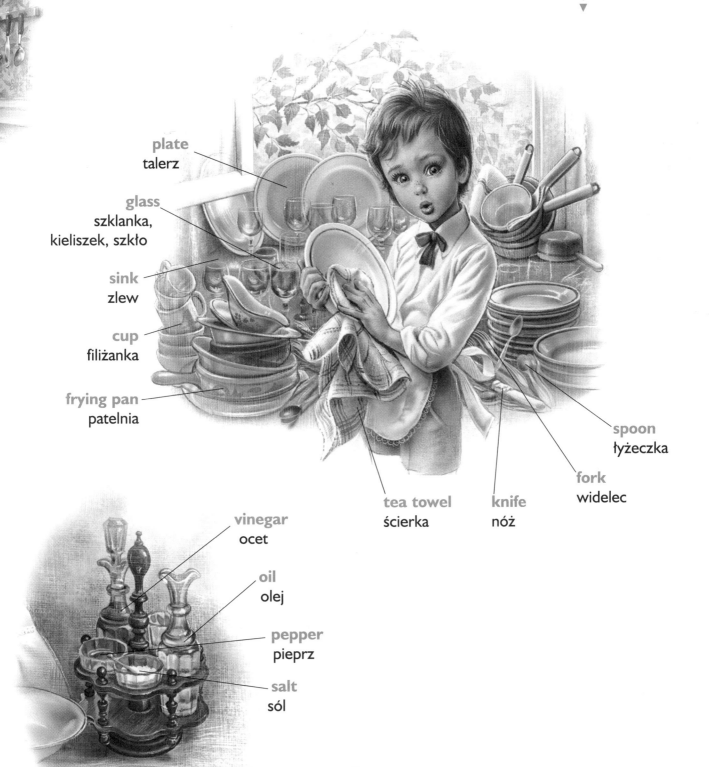

plate
talerz

glass
szklanka,
kieliszek, szkło

sink
zlew

cup
filiżanka

frying pan
patelnia

spoon
łyżeczka

fork
widelec

tea towel
ścierka

knife
nóż

vinegar
ocet

oil
olej

pepper
pieprz

salt
sól

Food and drink

bottle
butelka

orange juice
sok pomarańczowy

napkin
serwetka

wine
wino

bread
chleb

tablecloth
obrus

**There are three meals:
breakfast, lunch and supper.**
Są trzy posiłki: śniadanie, obiad
i kolacja.

green beans
zielona fasolka

banana
banan

potato
ziemniak

meat
mięso

They are having lunch.
Oni jedzą obiad.

Martine is not hungry.
Martynka nie jest głodna.

Picnic
Piknik

They are eating soup.
Oni jedzą zupę.

soup
zupa

28

Żywność i napoje

grapes
winogrona

chocolate dessert
deser czekoladowy

whipped cream
bita śmietana

cherry
wiśnie

cake
ciasto

biscuit
biszkopt

Jean is thirsty.
Jean jest spragniony.

He is drinking.
On pije.

ice cream
lody

water
woda

jam
dżem,
konfitura

jug
dzban

More food

Vegetables
Warzywa

melon
melon

cabbage
kapusta

lettuce
sałata

carrot
marchew

tomato
pomidor

mushroom
grzyb

turnip
rzepa

pepper
pieprz
hiszpański

onion
cebula

broccoli
brokuły

radishes
rzodkiewki

I love strawberries but I hate blackberries.
Uwielbiam truskawki, ale nienawidzę jeżyn.

I like cauliflower but I don't like spinach.
Lubię kalafior, ale nie lubię szpinaku.

pumpkin
dynia

peas
groszek

Fruits
Owoce

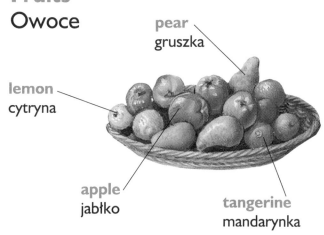

pear
gruszka

lemon
cytryna

apple
jabłko

tangerine
mandarynka

leaks
pory

spaghetti
spaghetti

sugar
cukier

pineapple
ananas

cheese
ser

yoghurt
jogurt

Martine is shopping.
Martynka robi zakupy.

There are lots of things in the shop.
W sklepie jest wiele produktów.

basket
koszyk

artichoke
karczoch

butter
masło

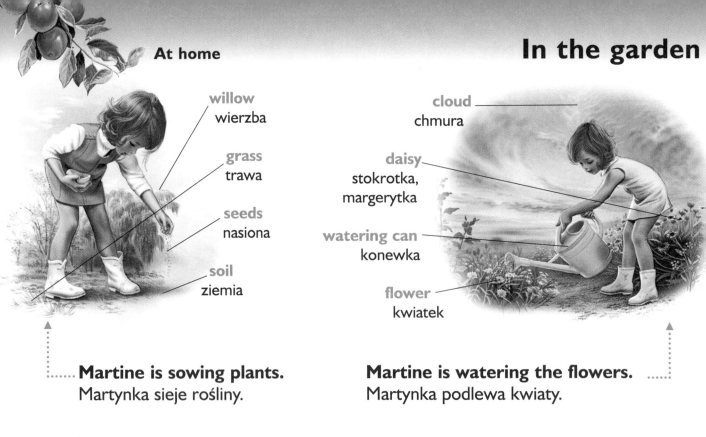

willow
wierzba

grass
trawa

seeds
nasiona

soil
ziemia

In the garden

cloud
chmura

daisy
stokrotka,
margerytka

watering can
konewka

flower
kwiatek

Martine is sowing plants.
Martynka sieje rośliny.

Martine is watering the flowers.
Martynka podlewa kwiaty.

butterfly
motyl

insect
owad

cat
kot

wasp
osa

turtle
żółw

dog
pies

pet
ulubieniec

W ogrodzie

wheelbarrow
taczka

stones
kamienie

spade
łopata

rake
grabie

The children are working hard.
Dzieci ciężko pracują.

hoe
motyka

fire
ogień

weed
chwast

33

Break
Przerwa

skipping rope
skakanka

sandpit
piaskownica

playground
boisko

marbles
kulki

trolley
wózek

The children are playing.
Dzieci się bawią.

Hi! Can I play with you?
Cześć! Czy mogę się z Tobą pobawić?

Sure!
Jasne!

Gym class
Lekcja gimnastyki

jump
skakać

gym (gymnasium)
sala gimnastyczna

arm in a sling
ręka na temblaku

wounded
ranny

summersault
przewrót, koziołek

W szkole

Lunch
Obiad

dinner lady
pani ze stołówki

self service
samoobsługa

canteen
stołówka

tray
taca

What is your name?
Jak masz na imię?

Hello! My name is Cynthia. I am new.
Cześć! Mam na imię Cynthia. Jestem nowa.

After school
Po szkole

The children are leaving.
Dzieci wychodzą.

Goodbye!
Do widzenia!

school bus
autobus szkolny

See you soon!
Do zobaczenia wkrótce!

In the classroom

map
mapa

blackboard
tablica

teacher
nauczyciel

globe
globus

pupil
uczeń

desk
biurko, ławka

chair
krzesło

school bag
torba szkolna, tornister

In class, the children listen,
Na lekcji dzieci słuchają,

...they paint.
...one malują.

painting
obraz

easel
sztaluga

paintbox
pudełko na farby

paintbrush
pędzel do malowania

W klasie

The children read,
Dzieci czytają,

...they study,
...one studiują,

...they learn,
...one uczą się,

bookcase
biblioteczka

bench
ławka

book
książka

Here, the children are in the library.
Tutaj dzieci są w bibliotece.

...they write.
...one piszą.

paper
papier

pencil case
piórnik

pencils
kredki

notebook
zeszyt

pen
długopis

rubber
gumka

1 one   2 two   3 three   4 four   5 five   7 seven

6 six

0 zero

How many dogs are there?
Ile tam jest psów?

There are more dogs than lambs.
Jest więcej psów niż jagniąt.

He is counting his money.
On liczy swoje pieniądze.

How much money has he got?
Ile on ma pieniędzy?

twelfth
dwunasty   eleventh
jedenasty

The donkey is the last.
Osioł jest ostatni.

Liczby

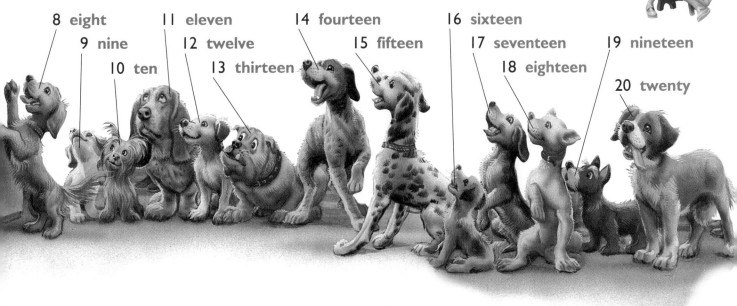

8 eight
9 nine
10 ten
11 eleven
12 twelve
13 thirteen
14 fourteen
15 fifteen
16 sixteen
17 seventeen
18 eighteen
19 nineteen
20 twenty

ten/tenth	10	dziesięć/dziesiąty
twenty/twentieth	20	dwadzieścia/dwudziesty
thirty/thirtieth	30	trzydzieści/trzydziesty
forty/fortieth	40	czterdzieści/czterdziesty
fifty/fiftieth	50	pięćdziesiąt/pięćdziesiąty
sixty/sixtieth	60	sześćdziesiąt/sześćdziesiąty
seventy/seventieth	70	siedemdziesiąt/siedemdziesiąty
eighty/eightieth	80	osiemdziesiąt/osiemdziesiąty
ninety/ninetieth	90	dziewięćdziesiąt/dziewięćdziesiąty
one hundred/hundredth	100	sto/setny
one thousand/thousandth	1 000	tysiąc/tysięczny
one million/millionth	1 000 000	milion/milionowy

tenth dziesiąty
ninth dziewiąty
eighth ósmy
seventh siódmy
sixth szósty
fifth piąty
fourth czwarty
third trzeci
second drugi
first pierwszy

This lamb is the first.
To jagnię jest pierwsze.

Shapes and colours

white
biały

blue
niebieski

yellow
żółty

orange
pomarańczowy

red
czerwony

pink
różowy

purple
purpurowy

green
zielony

grey
szary

silver
srebrny

black
czarny

brown
brązowy

Martine's favourite colour is gold.
Ulubionym kolorem Martynki jest złoty.

Kształty i kolory

circle
koło

square
kwadrat

rectangle
prostokąt

triangle
trójkąt

heart
serce

star
gwiazda

line
linia

They are going round and round.
Oni jeżdżą wkoło.

polka dot
kropka, groszek

make-up
makijaż

striped
w paski

a big round wheel
duże okrągłe koło

a small round wheel
małe okrągłe koło

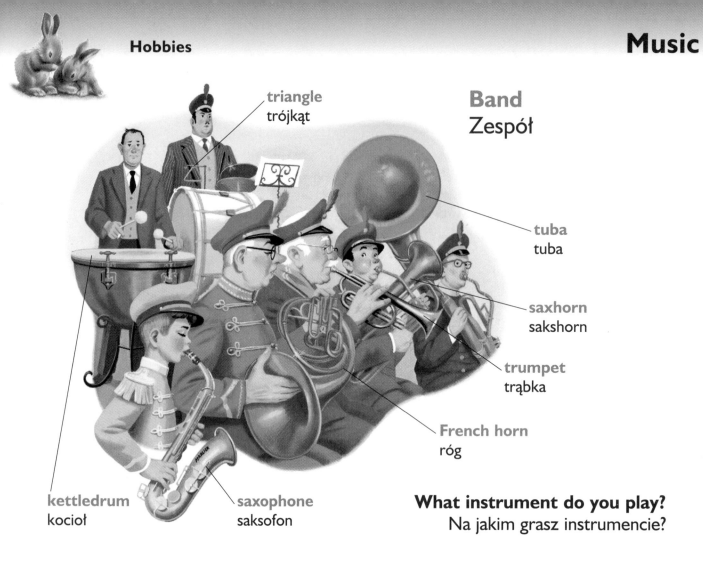

triangle
trójkąt

Band
Zespół

tuba
tuba

saxhorn
sakshorn

trumpet
trąbka

French horn
róg

kettledrum
kocioł

saxophone
saksofon

What instrument do you play?
Na jakim grasz instrumencie?

Brass band
Orkiestra dęta

trombone
puzon

drum
bęben

drumstick
pałeczka do bębna

cymbals
talerze, cymbały

bass drum
bęben basowy

Orchestra
Orkiestra

cello
wiolonczela

violin
skrzypce

music stand
pulpit

bow
smyczek

recorder
piszczałka

guitar
gitara

score
zapis
nutowy

pianist
pianistka

piano
fortepian

She plays the piano.
Ona gra na pianinie.

**The clowns are playing music
and singing a song.**
Klauni grają i śpiewają piosenkę.

Swimming
Pływanie

swimming cap
czepek kąpielowy

diving board
trampolina

ladder
drabinka

swimming pool
basen

.... **The children are swimming.**
Dzieci pływają.

**They are having a good time.
Splash!**
One dobrze się bawią. Plusk!

Badminton
Badminton

racket
rakieta

shuttlecock
lotka

Can you play badminton?
Czy potrafisz grać w badmintona?

goal
bramka

football pitch
boisko do piłki
nożnej

Sport

Horse riding
Jazda konna

riding hat
dżokejka

saddle
siodło

stirrup
strzemię

bridle
uzda

riding school
szkółka jeździecka

Martine is very good at horse riding.
Martynka jest bardzo dobra w jeździe konnej.

Martine is kicking the ball.
Martynka kopie piłkę.

Football
Piłka nożna

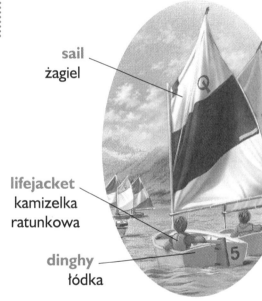

sail
żagiel

lifejacket
kamizelka ratunkowa

dinghy
łódka

ball
piłka

Sailing
Żeglarstwo

Activities

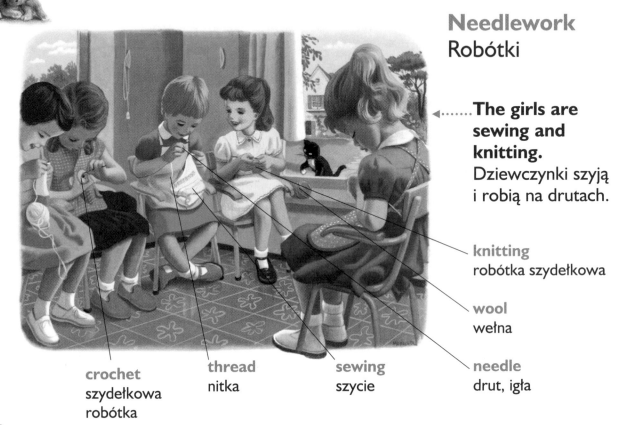

Needlework
Robótki

The girls are sewing and knitting.
Dziewczynki szyją i robią na drutach.

knitting
robótka szydełkowa

wool
wełna

needle
drut, igła

crochet
szydełkowa
robótka

thread
nitka

sewing
szycie

Art
Sztuka

Martine is drawing.
Martynka rysuje.

The children have decorated the masks.
Dzieci ozdobiły maski.

sketchpad
szkicownik

portfolio
teczka

mask
maska

pencil
ołówek

paper
papier

sculpture
rzeźba

paintbrush
pędzel do malowania

felt tips
kredki pilśniowe

jar
słoik

Czynności

Woodwork
Stolarstwo

tools
narzędzia

workshop
pracownia

pliers
obcęgi

screwdriver
śrubokręt

saw
piła

hammer
młotek

nail
gwóźdź

He is building a stand for the party.
On buduje podest na przyjęcie.

drawing
rysunek

scissors
nożyczki

cut outs
wycinanki

Ballet
Balet

They are dancing.
One tańczą.

headband
opaska

leotard
strój do tańca / ćwiczeń,
body

ballet shoes
baletki

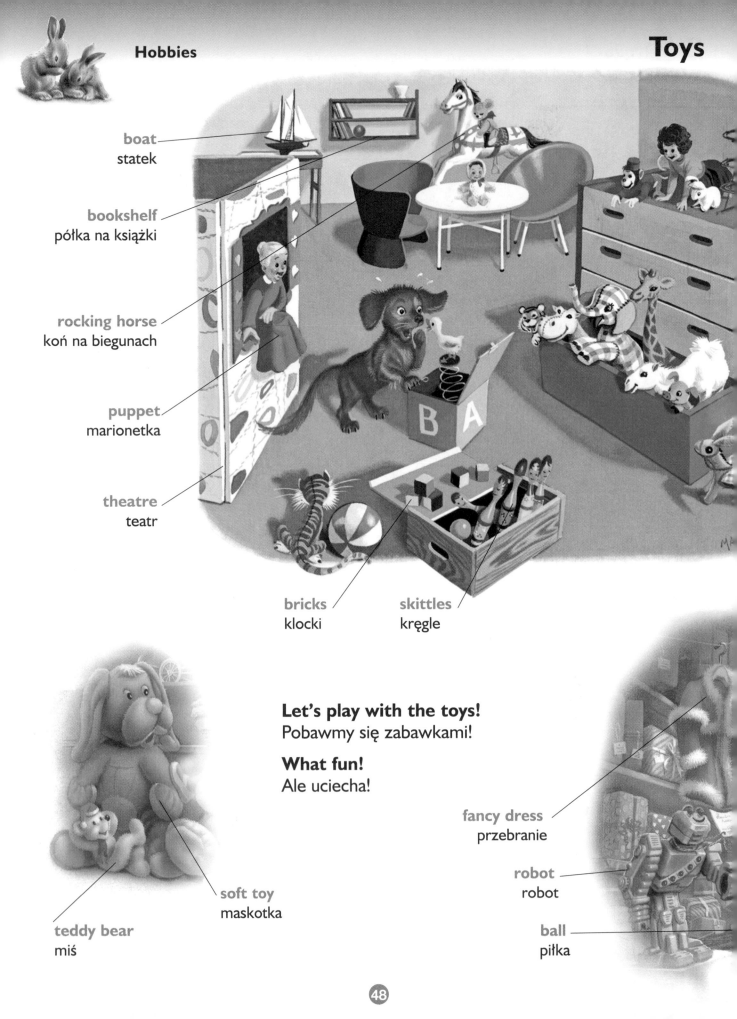

boat
statek

bookshelf
półka na książki

rocking horse
koń na biegunach

puppet
marionetka

theatre
teatr

bricks
klocki

skittles
kręgle

Let's play with the toys!
Pobawmy się zabawkami!

What fun!
Ale uciecha!

fancy dress
przebranie

robot
robot

soft toy
maskotka

teddy bear
miś

ball
piłka

Zabawki

helicopter
helikopter

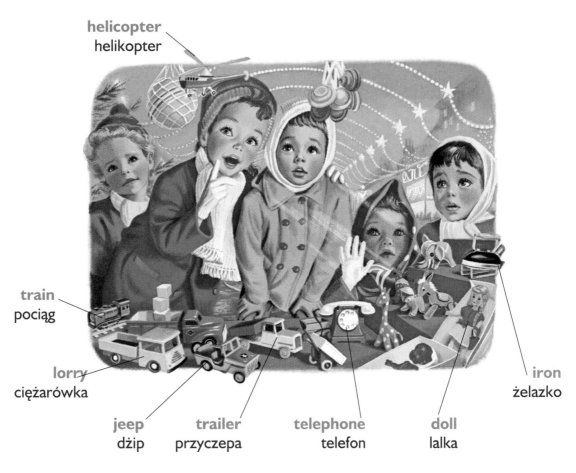

train
pociąg

lorry
ciężarówka

jeep
dżip

trailer
przyczepa

telephone
telefon

doll
lalka

iron
żelazko

motorbike
motorower

What would you like?
Co chciałabyś mieć?

I would like a new doll.
Chciałabym nową lalkę.

Whose is the robot?
Czyj jest ten robot?

It is Jean's.
On jest Jeana.

castle
zamek

fountain
fontanna

princess
księżniczka

The princess is beautiful.
Księżniczka jest piękna.

The children are rich.
Dzieci są bogate.

Once upon a time there
Dawno temu był sobie król

unicorn
jednorożec

elf
elf

chest
kufer

treasure
skarb

gold coins
złote monety

throne
tron

The ogre is strong.
Olbrzym jest silny.

Bajki

was a king and a queen...
i królowa...

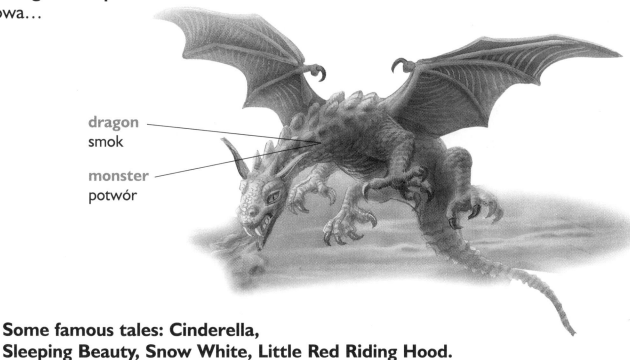

dragon
smok

monster
potwór

**Some famous tales: Cinderella,
Sleeping Beauty, Snow White, Little Red Riding Hood.**
Niektóre znane bajki: Kopciuszek, Śpiąca Królewna, Królewna
Śnieżka, Czerwony Kapturek.

ogre
olbrzym

black cat
czarny kot

key
klucz

candle
świeca

owl
sowa

witch
wiedźma

The witch is ugly.
Czarownica jest
brzydka.

poison
trucizna

cauldron
kocioł

51

In town

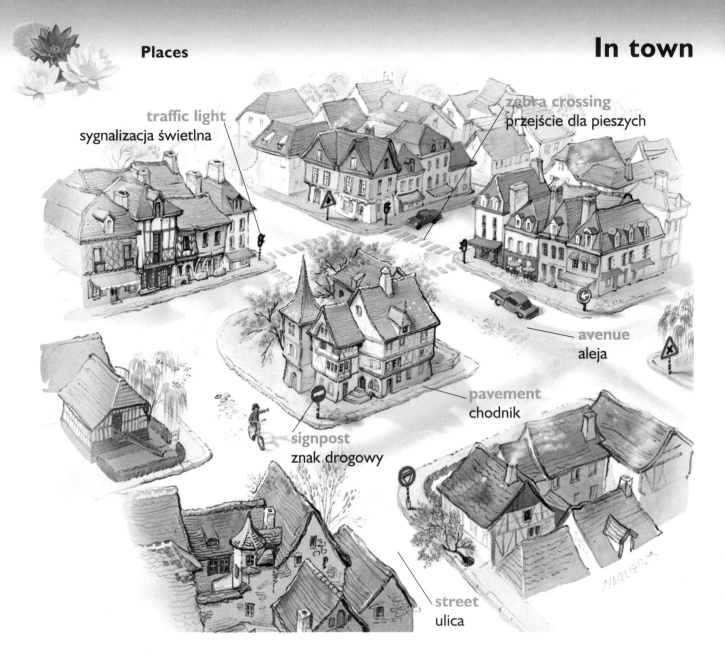

traffic light
sygnalizacja świetlna

zebra crossing
przejście dla pieszych

avenue
aleja

pavement
chodnik

signpost
znak drogowy

street
ulica

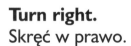

Turn right.
Skręć w prawo.

Turn left.
Skręć w lewo.

Go straight on.
Idź prosto.

Stop.
Zatrzymaj się.

sign
szyld

shop
sklep

greengrocer's
sklep z warzywami
i owocami

W mieście

Building site
Plac budowy

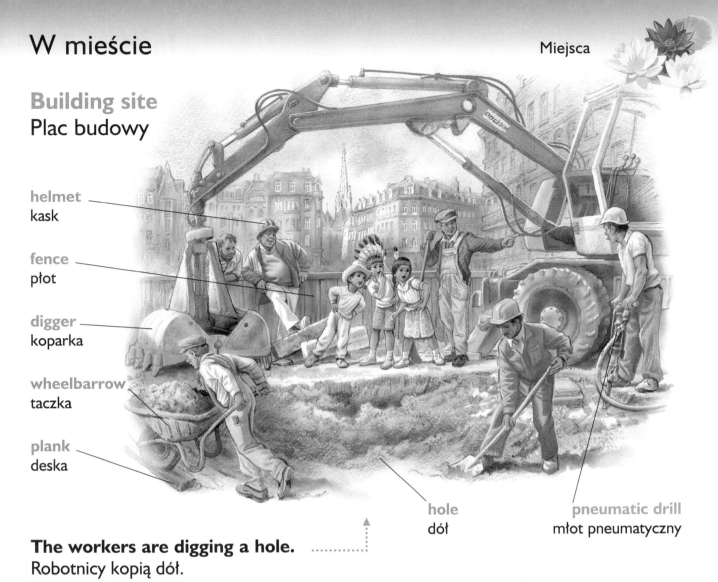

helmet
kask

fence
płot

digger
koparka

wheelbarrow
taczka

plank
deska

hole
dół

pneumatic drill
młot pneumatyczny

The workers are digging a hole.
Robotnicy kopią dół.

The ladies are waiting for the bus.
Panie czekają na autobus.

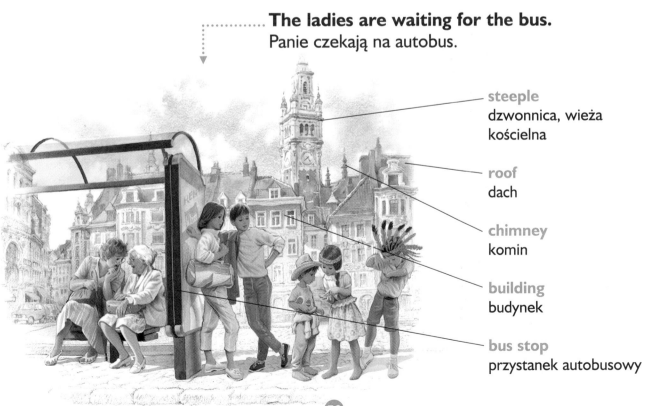

steeple
dzwonnica, wieża
kościelna

roof
dach

chimney
komin

building
budynek

bus stop
przystanek autobusowy

In the park

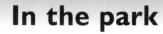

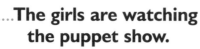

The girls are watching the puppet show.
Dziewczynki oglądają przedstawienie kukiełkowe.

Punch and Judy
Punch i Judy

standing up
stojąca

sitting down
siedząca

The doves are flying.
Gołębie latają.

The children are feeding the pigeons.
Dzieci karmią gołębie.

tree
drzewo

dove
gołąb,
gołębica
(biały)

statue
pomnik

path
ścieżka

bench
ławka

bird
ptak

pigeon
gołąb, gołębica
(szary)

W parku

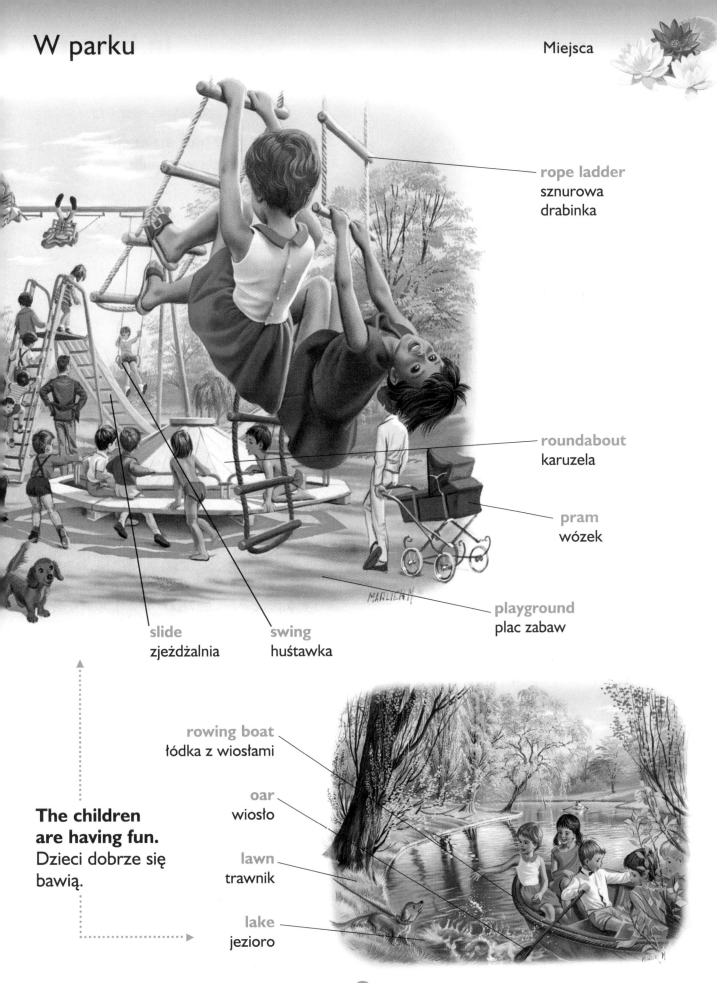

rope ladder
sznurowa
drabinka

roundabout
karuzela

pram
wózek

playground
plac zabaw

slide
zjeżdżalnia

swing
huśtawka

rowing boat
łódka z wiosłami

oar
wiosło

lawn
trawnik

lake
jezioro

**The children
are having fun.**
Dzieci dobrze się
bawią.

In hospital

◄·········· **Martine has had an accident.**
Martynka miała wypadek.

She fell off her bicycle.
Ona spadła ze swojego roweru.

She is having an operation.
Ona ma operację.

ambulance
ambulans, karetka

stretcher
nosze

operating theatre
sala operacyjna

surgeon
chirurg

surgeon's mask
maska chirurga

scissors
nożyce

W szpitalu

headache
ból głowy

ill
chory

stethoscope
stetoskop

doctor
lekarz

Martine is not feeling well.
Martynka nie czuje się dobrze.

She has got a headache.
Ona ma ból głowy.

The doctor is examining her.
Lekarz ją bada.

She will be better soon.
Ona wkrótce poczuje się lepiej.

corridor
korytarz

plaster
gips

healthy
zdrowy

nurse
pielęgniarka

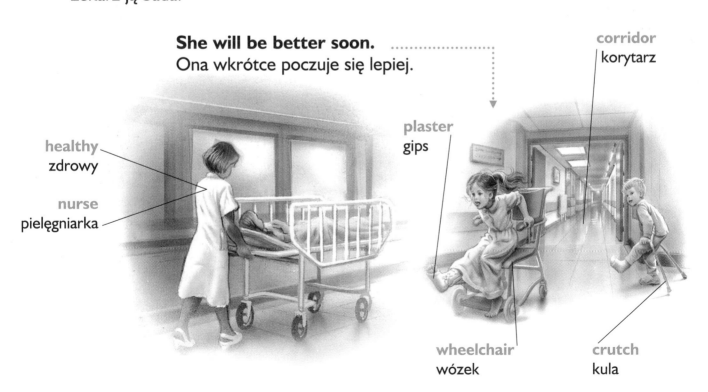

wheelchair
wózek

crutch
kula

In the country

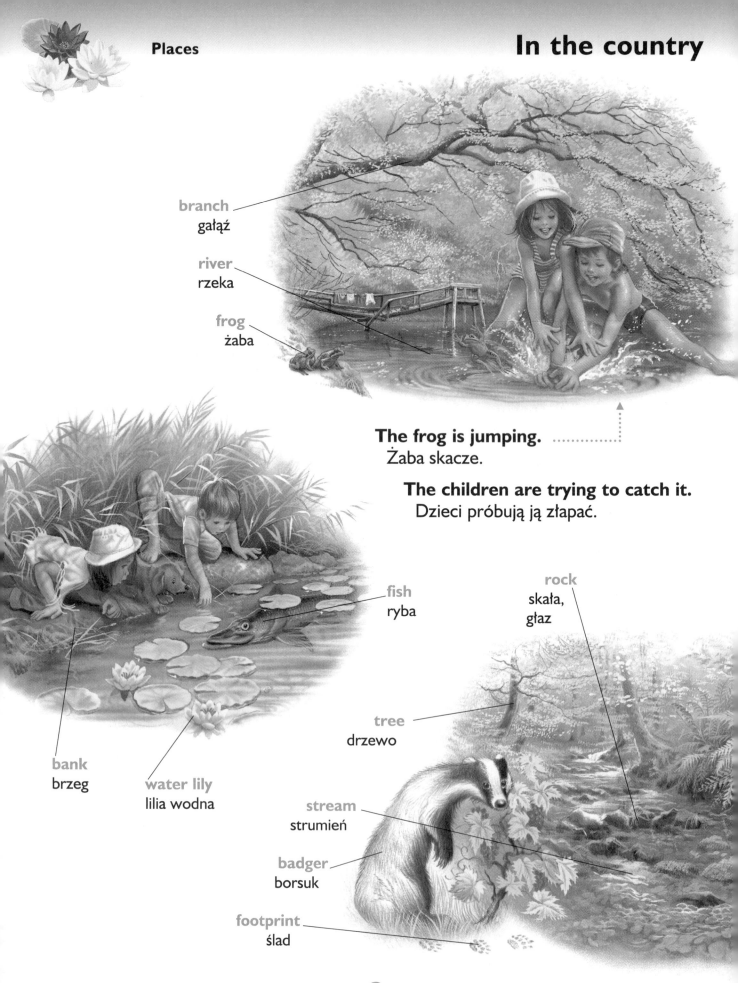

branch
gałąź

river
rzeka

frog
żaba

The frog is jumping.
Żaba skacze.

The children are trying to catch it.
Dzieci próbują ją złapać.

fish
ryba

rock
skała,
głaz

tree
drzewo

bank
brzeg

water lily
lilia wodna

stream
strumień

badger
borsuk

footprint
ślad

Na wsi

squirrel
wiewiórka

The squirrels are nibbling nuts.
Wiewiórki ogryzają orzechy.

The foxes are hiding in the bushes.
Lisy ukrywają się w krzakach.

leaf
liść

fox
lis

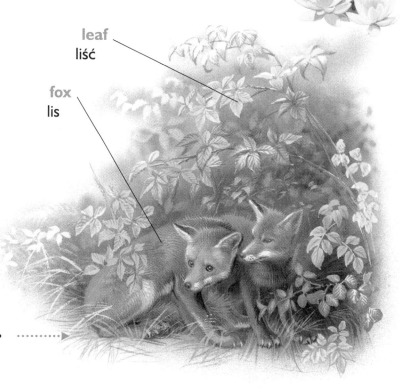

dragonfly
ważka

Why are the deer running away?
Dlaczego jelenie uciekają ?

Because they are afraid of the hunters.
Ponieważ boją się myśliwych.

fern
paproć

fawn
jelonek

doe
łania

deer
jeleń

forest
las

weasel
łasica

At the zoo

lion
lew

The lion is fierce.
Lew jest srogi.

mane
grzywa

paw
łapa

lion cub
lwiątko,
młody lew

claw
pazur

Martine is visiting a zoo.
Martynka odwiedza zoo.

zebra
zebra

pelican
pelikan

wing
skrzydło

The zebra is striped.
Zebra jest w paski.

The elephant is huge.
Słoń jest wielki.

elephant
słoń

trunk
trąba

hippopotamus
hipopotam

fang
kieł

tongue
język

W zoo

monkey
małpa

gorilla
goryl

kangaroo
kangur

**Don't feed
the animals.**
Nie karmić
zwierząt.

giraffe
żyrafa

tail
ogon

The giraffe is tall.
Żyrafa jest wysoka.

**polar
bear**
niedźwiedź polarny

Patapouf is short.
Pufek jest niski.

He is cuddly.
On jest
pieszczochem.

He is big.
On jest duży.

He is small.
On jest mały.

penguin
pingwin

61

On the farm

cow
krowa

calf
cielę

milk
mleko

meadow
łąka

bell
dzwonek

The boy is milking the cow.
Chłopiec doi krowę.

donkey
osioł

barn
stodoła

cock
kogut

stable
stajnia

chicken house
kurnik

goose
gęś

chicken
kurczak

chick
pisklę

hen
kura

Animal noises
Odgłosy zwierząt

The cow goes moo moo.	Krowa robi „muu muu".
The pig goes oink oink.	Świnia robi „kwi kwi".
The lamb goes baa baa.	Baranek robi „bee bee".
The duck goes quack quack.	Kaczka robi „kwa kwa".
The cock goes cock a doodle doo.	Kogut robi „kukuryku".
The hen goes cluck cluck.	Kura robi „kud-kudak".
The mouse goes squeak.	Mysz robi „piii".
The horse goes neigh.	Koń robi „i-ha-ha".
The donkey goes hee haw.	Osioł robi „i-ha-i-ha".

mouse
mysz

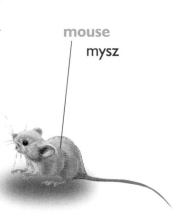

Na farmie

Farmyard
Podwórze farmy

rabbit
królik

lamb
jagnię

sheep
owca

farmer
farmer

duck
kaczka

duckling
kaczątko

goat
koza

foal
źrebię

water pump
pompa wodna

horse
koń

field
pole

pig
świnia

piglet
prosię

63

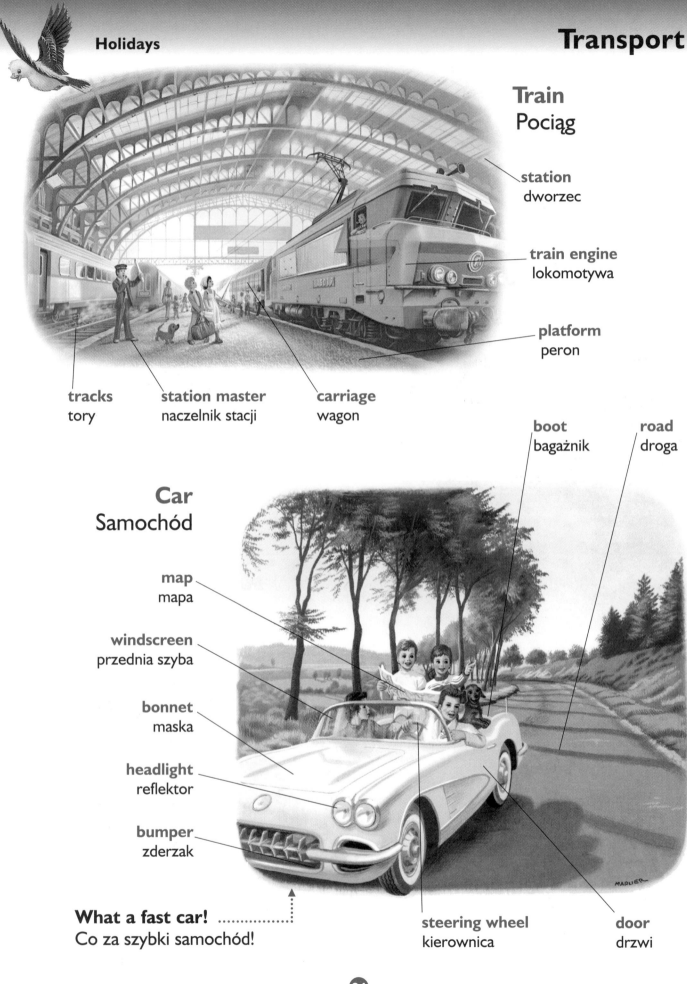

Train
Pociąg

station
dworzec

train engine
lokomotywa

platform
peron

tracks
tory

station master
naczelnik stacji

carriage
wagon

boot
bagażnik

road
droga

Car
Samochód

map
mapa

windscreen
przednia szyba

bonnet
maska

headlight
reflektor

bumper
zderzak

steering wheel
kierownica

door
drzwi

What a fast car!
Co za szybki samochód!

Transport

Helicopter
Helikopter

Hot air balloon
Balon napełniony gorącym powietrzem

The people are waving.
Ludzie machają.

The boy is riding his bike.
Chłopiec jeździ na rowerze.

Bicycle
Rower

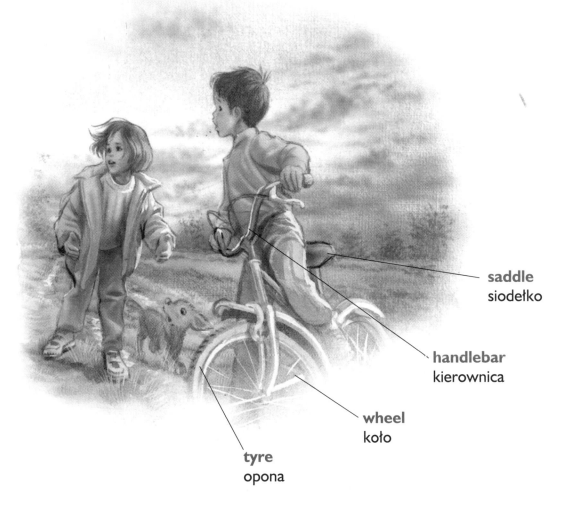

saddle
siodełko

handlebar
kierownica

wheel
koło

tyre
opona

By boat
Statkiem

mast
maszt

ship
okręt

anchor
kotwica

lifeboat
łódź
ratunkowa

quay
molo, wał
nadbrzeżny

All aboard! ....
Wszyscy na pokład!

Martine is on deck. ....▶
Martynka jest na pokładzie.

loudspeaker
głośnik

captain
kapitan

deck
pokład

By plane
Samolotem

airport
lotnisko

runway
pas, tor

aeroplane
samolot

gangway
schody, przejście, kładka,
pomost

passengers
pasażerowie

air traffic controller
kontroler ruchu lotniczego

An aeroplane is taking off.
Samolot startuje.

Another aeroplane is landing.
Inny samolot ląduje.

package
paczka

luggage
bagaż

suitcase
walizka

bag
torba

seat
miejsce

Fasten your seat belt!
Zapiąć pas!

seat belt
pas bezpieczeństwa

At the seaside

Martine and Nicole are building a sandcastle.
Martynka i Nicole budują zamek z piasku.

swimsuit
strój kąpielowy

sandcastle
zamek z piasku

sand
piasek

bucket
kubełek, wiaderko

Patapouf is splashing in the sea.
Pufek pluska się w morzu.

beach umbrella
plażowy parasol

fishing net
siatka rybacka

ball
piłka

sea
morze

Nad morzem

kite
latawiec

seagull
mewa

sailing boat
żaglówka

wave
fala

spade
łopata

starfish
rozgwiazda

shell
muszla

sand yacht
piaskowy jacht

The children are flying a kite.
Dzieci puszczają latawiec.

ice cream man
lodziarz

ice cream
lody

beach
plaża

sun hat
kapelusz
przeciwsłoneczny

bikini
strój plażowy

deckchair
leżak

69

In the mountains

mountain
góra

chalet
willa

scarf
szalik

sleigh
sanie

snow
śnieg

The family are going for a sleigh ride.
Rodzina jedzie na przejażdżkę saniami.

valley
dolina

Martine and her friends take the cable car.
Martynka i jej przyjaciele jadą kolejką linową.

It is very high.
Jest bardzo wysoko.

Martine is skiing.
Martynka zjeżdża na nartach.

ski stick
kijek narciarski

ski boot
but narciarski

ski
narta

ski run
tor narciarski

The children are skating.
Dzieci jeżdżą na łyżwach.

skating rink
ślizgawka

frost
szron, mróz

ice
lód

glove
rękawiczka

tights
rajstopy

skate
łyżwa

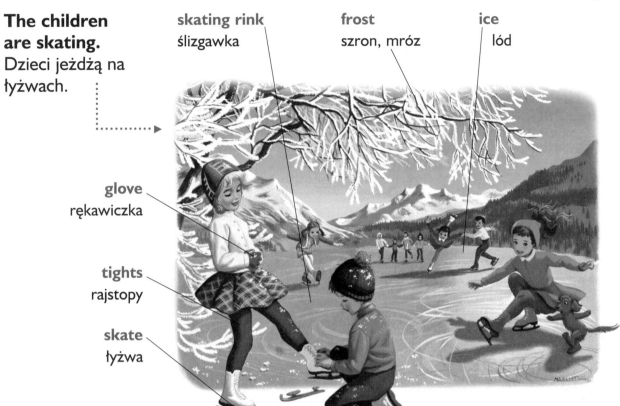

Martine and her brother are tobogganing.
Martynka i jej brat zjeżdżają na sankach.

goggles
gogle

anorak
krótka, nieprzemakalna kurtka z kapturem

hood
kaptur

mitten
rękawica jednopalcowa

wooly hat
wełniana czapka

toboggan
sanki

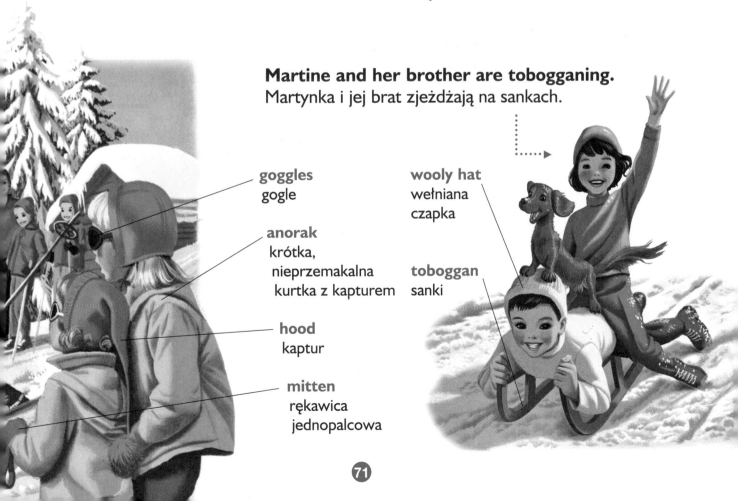

At the circus

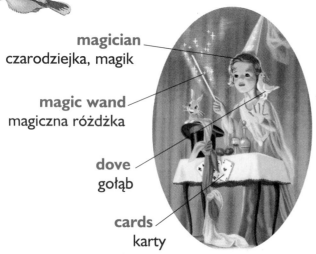

magician
czarodziejka, magik

magic wand
magiczna różdżka

dove
gołąb

cards
karty

**Martine is performing
a magic trick.**
Martynka przedstawia magiczną
sztuczkę.

How clever!
Ale sprytnie!

The clowns are funny.
Klauni są zabawni.

They like telling jokes.
Oni lubią opowiadać dowcipy.

bow tie
muszka

top hat
cylinder

lights
światła

spectators
widzowie

clown
klaun

goldfish
złota
rybka

cage
klatka

tiger
tygrys

whip
bat

tamer
pogromca
(zwierząt)

lion
lew

circus ring
arena cyrkowa

tightrope walker
ekwilibrystka

Martine is trying to tame the lion.
Martynka próbuje poskromić lwa.

It is not easy.
Nie jest to łatwe.

big top
szczyt

tightrope
lina

It is difficult to walk the tightrope.
Trudno jest chodzić po linie.

At the funfair

Shooting gallery
Strzelnica

cowboy hat
kowbojski kapelusz

sheriff
szeryf

star
gwiazda

pipe
fajka

target
cel

gun
pistolet,
strzelba

rifle
karabin

bullet
kula

MARLIER

Balloon seller
Sprzedawca balonów

balloon
balon

ferris wheel
diabelskie koło

The little boy is shooting.
Mały chłopiec strzela.

The little girl is buying a balloon.
Mała dziewczynka kupuje balon.

Are they expensive?
Czy one są drogie?

No, they are cheap.
Nie, one są tanie.

Lottery
Loteria

prizes
nagrody

diamonds
karo

spades
piki

clubs
trefle

hearts
kiery

Who is going to win the lottery?
Kto wygra loterię?

Lost!
Przegrany!

The party is over.
Koniec zabawy.

moon
księżyc

big dipper
kolejka górska (w wesołym miasteczku)

merry-go-round
karuzela

bumper cars
samochody zderzakowe (w wesołym miasteczku)

Let's go home!
Chodźmy do domu!

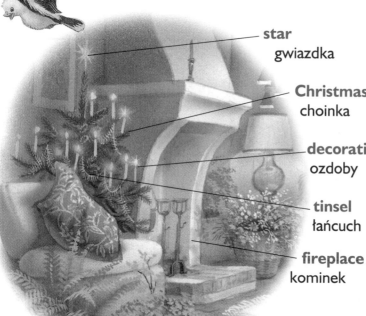

star
gwiazdka

Christmas tree
choinka

decorations
ozdoby

tinsel
łańcuch

fireplace
kominek

Christmas
Boże Narodzenie

Father Christmas/Santa Claus
Św. Mikołaj

Merry Christmas!
Wesołych Świąt Bożego
Narodzenia!

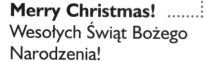

Easter egg hunt
poszukiwanie
wielkanocnego jajka

presents
prezenty

Easter
Wielkanoc

Easter egg
wielkanocne jajko

basket
koszyk

Fireworks
Sztuczne ognie

Happy New Year!
Szczęśliwego Nowego Roku!

A birthday party
Przyjęcie urodzinowe

How old is Martine?
Ile lat ma Martynka?

She is eight years old.
Ona ma osiem lat.

She is blowing her candles.
Ona zdmuchuje swoje świeczki.

Happy birthday!
Szczęśliwych urodzin!

friends
przyjaciele

birthday cake
tort

candle
świeczka

Weather, months and seasons

Spring
Wiosna

March
marzec

April
kwiecień

May
maj

The weather is nice.
Pogoda jest ładna.

Summer
Lato

June
czerwiec

July
lipiec

August
sierpień

sky
niebo

It is sunny. It is hot.
Jest słonecznie. Jest gorąco.

The sun shines.
Słońce świeci.

There are twelve months in the year.
Jest dwanaście miesięcy w roku.

Pogoda, miesiące i pory roku

Autumn
Jesień

September
wrzesień

October
październik

November
listopad

cloud
chmura

snow
śnieg

A storm
Burza

lightning
błyskawica

thunder
grzmot

Winter
Zima

December
grudzień

January
styczeń

February
luty

It is windy.
Jest wietrznie.

It is cloudy.
Jest pochmurno.

It is raining.
Pada deszcz.

It is cold.
Jest zimno.

It is snowing.
Pada śnieg.

Time

Timetable
Rozkład jazdy

The days of the week are:	Dni tygodnia to:
Monday	poniedziałek
Tuesday	wtorek
Wednesday	środa
Thursday	czwartek
Friday	piątek
Saturday	sobota
Sunday	niedziela

Today is Monday.
Dzisiaj jest poniedziałek.

Yesterday was Sunday.
Wczoraj była niedziela.

Tomorrow will be Tuesday.
Jutro będzie wtorek.

In a day there is:	W ciągu doby jest:
the morning	ranek
the afternoon	popołudnie
the evening	wieczór
the night	noc

Czas

What time is it?
Która jest godzina?

It is twenty-five past eight.
Jest dwadzieścia pięć po ósmej.

It is nine o'clock.
Jest dziewiąta.

It is quarter past nine.
Jest kwadrans po dziewiątej.

It is half past nine.
Jest wpół do dziesiątej.

It is quarter to ten.
Jest za piętnaście dziesiąta.

It is midnight.
Jest północ.

clock
zegar

He is late.
On jest spóźniony.

He has lost his watch.
On zgubił zegarek.

Where are they?

They are going across **the bridge.**
Oni idą przez most.

Martine is behind **the rabbit.**
Martynka jest za królikiem.

The bridge is over **the river.**
Most jest nad rzeką.

Patapouf is in **the basket.**
Pufek jest w koszyku.

The cats are in the front of **the basket.**
Koty są przed koszykiem.

The soup tureen is on **the table.**
Waza do zupy jest na stole.

The bird is next to **the cat.**
Ptak jest obok kota.

Moustache is under **the table.**
Wąsatek jest pod stołem.

Gdzie oni są?

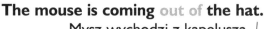

The mouse is coming out of **the hat.**
Mysz wychodzi z kapelusza.

The eggs are near **the mouse.**
Jajka są blisko myszy.

The ferret is going into **the hole.**
Łasica wchodzi do dziury.

She is between **her friends.**
Ona jest pomiędzy swymi przyjaciółmi.

The children are above **the ground.**
Dzieci są nad ziemią.

She is at the top of **the stairs.**
Ona jest na szczycie schodów.

She is below **the trees.**
Ona jest pod drzewami.

He is going up **the stairs.**
On wchodzi na górę schodów.

He is at the bottom of **the stairs.**
On jest na dole schodów.

Martine is going down **the slide.**
Martynka zjeżdża ze zjeżdżalni.

Słownik angielsko–polski

Skróty:
adj.: przymiotnik   int.: wykrzyknik
adv.: przysłówek   n.: rzeczownik
conj.: spójnik   prep.: przyimek
                      v.: czasownik

above (prep.): nad 83
accident (n.): wypadek 56
action (n.): czynność 18
activity (n.): zajęcie 46
adult (n.): dorosły 7
aeroplane (n.): samolot 67
after (prep.): po 19, 35
afternoon (n.): popołudnie 80
airport (n.): lotnisko 67
ambulance (n.): ambulans 56
ancestor (n.): przodek 7
anchor (n.): kotwica 66
angry (adj.): zły 17
animal (n.): zwierzę 61, 62
ankle (n.): kostka 8
anorak (n.): kurtka 71
anything (adv.): coś 19
apple (n.): jabłko 31
April (n.): kwiecień 78
arm (n.): ramię 8, 34
armchair (n.): fotel 21, 23
artichoke (n.): karczoch 31
asleep (adj.): śpiący 22
at the bottom of (adv.):
  na dole/dnie 83
at the top of (adv.):
  na górze/szczycie 83
attic (n.): strych 21
August (n.): sierpień 78
aunt (n.): ciocia 7
autumn (n.): jesień 79
avenue (n.): aleja 52
awake (adj.): przebudzony 23
awful (adj.): straszny, okropny 16

baby (n.): dziecko 6, 24
back (n.): plecy 9
bad (adj.): zły 17
badger (n.): borsuk 58
bag (n.): torba 67
balcony (n.): balkon 20
bald (adj.): łysy 11
ball (n.): piłka 45, 48, 68
ballet shoe (n.): baletka 47
balloon (n.): balon 74
banana (n.): banan 28
band (n.): zespół 42
bank (n.): brzeg 58
barn (n.): stodoła 62
basin (n.): umywalka 25
basket (n.): koszyk 31, 76, 82
bath (n.): kąpiel 24
bathrobe (n.): peniuar 24
bathroom (n.): łazienka 24

bathroom cabinet (n.): szafka
  łazienkowa 25
bathtub (n.): wanna 25
be (v.): być
  - **be afraid of**: bać się 59
  - **be bored**: być znudzonym 16
  - **be hungry**: być głodnym 26,
                                  28
  - **be kneeling**: klęczeć 9
  - **be lying**: leżeć 9
  - **be scared**: być
    przestraszonym 17
  - **be sitting**: siedzieć 9
  - **be standing**: stać 9, 54
  - **be thirsty**: być spragnionym
                                  29
beach (n.): plaża 69
beach umbrella (n.):
  plażowy parasol 68
bear (n.): niedźwiedź 61
beard (n.): broda 11
beautiful (adj.): piękny 50
bed (n.): łóżko 23
bedroom (n.): sypialnia 22
behind (prep.): za 82
bell (n.): dzwonek 62
below (prep.): pod 83
belt (n.): pasek 12
bench (n.): ławka 37, 54
better (adj.): lepszy 57
between (prep.): pomiędzy 83
bicycle (n.): rower 56, 65
big (adj.): duży 41, 61
big dipper (n.): kolejka
  (w wesołym miasteczku) 75
big top (n.): szczyt 73
bike (n.): rower 65
bird (n.): ptak 54, 82
birthday (n.): urodziny 77
biscuit (n.): biszkopt 29
bite (v.): gryźć 18
black (adj.): czarny 40, 51
blackberry (n.): jeżyna 30
blackboard (n.): tablica 36
blanket (n.): koc 22
block of flats (n.):
  blok mieszkalny 20
blond (adj.): blond 11
blouse (n.): bluzka 13
blow (v.): dmuchać 77
blue (adj.): niebieski 40
boat (n.): łódź, statek 48, 55, 66
body (n.): ciało 8
bonnet (n.): maska 64
book (n.): książka 37
bookcase (n.): biblioteczka 37
bookshelf (n.): półka na książki
                                  48

boot (n.): wysoki but, botek 12
boot (n.): bagażnik, kufer 64
bottle (n.): butelka 28
bottom (n.): pośladki 9
bow (n.): smyczek 43
bow tie (n.): muszka 72
bowl (n.): czara 26
box (n.): pudełko 21
boy (n.): chłopiec 7, 62, 65, 74
bracelet (n.): bransoleta 13
braid (n.): warkocz 11
branch (n.): gałąź 58
brass band (n.): orkiestra dęta
                                  42
bread (n.): chleb 28
break (n.): przerwa 34
break (v.): tłuc, łamać 19
breakfast (n.): śniadanie 28
brick (n.): klocek 48
bridge (n.): most 82
bridle (n.): uzda 45
broccoli (n.): brokuły 30
broom (n.): miotła 15
brother (n.): brat 6, 71
brown (adj.): brązowy 40
brush (v.): szczotkować 25
bubble (n.): bańka 24
bucket (n.): kubełek 68
build (v.): budować 47, 68
building (n.): budynek 53
building site (n.): plac budowy
                                  53
bullet (n.): kula 74
bumper (n.): zderzak 64
bumper cars (n.): samochody
  w wesołym miasteczku 75
bun (n.): kok 11
bus (n.): autobus 53
bus stop (n.):
  przystanek autobusowy 53
bush (n.): krzak, gąszcz 59
but (conj.): ale 30
butter (n.): masło 31
butterfly (n.): motyl 32
buy (v.): kupować 74

cabbage (n.): kapusta 30
cable car (n.): kolejka linowa 70
cage (n.): klatka 73
cake (n.): ciasto 29, 77
calf (n.): cielę 62
call (v.): dzwonić 19
camera (n.): aparat fotograficzny
                                  14
can (v.): umieć, potrafić, móc 34

candle (n.): świeczka 51, 77
canteen (n.): stołówka 35
cap (n.): czapka 12
captain (n.): kapitan 66
car (n.): samochód 64
card (n.): karta 72
carriage (n.): wagon 64
carrot (n.): marchew 30
castle (n.): zamek 50
cat (n.): kot 32, 51, 82
catch (v.): łapać 58
cauldron (n.): kocioł 51
cauliflower (n.): kalafior 30
ceiling (n.): sufit 20
cello (n.): wiolonczela 43
chair (n.): krzesło 21, 36
chalet (n.): willa 70
cheap (adj.): tani 74
cheek (n.): policzek 10
cheese (n.): ser 31
cherry (n.): wiśnia 29
chest (n.): klatka piersiowa 8
chest (n.): kufer 50
chest of drawers (n.): komoda
                                  23
chick (n.): kurczątko 62
chicken (n.): kurczak 62
chicken house (n.): kurnik 62
child (n.): dziecko 7
children (n.): dzieci 58, 34-37,
  44, 46, 50, 54, 55, 69, 71, 83
chimney (n.): komin 53
chin (n.): broda 10
chocolate (n.): czekolada 29
Christmas (n.): Boże
  Narodzenie 76
circle (n.): koło 41
circus (n.): cyrk 72
circus ring (n.): arena cyrkowa
                                  73
city (n.): miasto 20
clap (v.): klaskać 16
class (n.): lekcja 34
classroom (n.): sala lekcyjna 36
claw (n.): pazur 60
clean (adj.): czysty 17
climb (v.): wspinać się 18
clock (n.): zegar 81
close (v.): zamykać 21
clothes (n.): ubrania 12
clothes peg (n.): spinacz
  do bielizny 25
cloud (n.): chmura 32, 79
clown (n.): klaun 43, 72
clubs (n.): trefle 75
coat (n.): płaszcz 12
cock (n.): kogut 62
coin (n.): moneta 50

cold (adj.): zimny 79
colour (n.): kolor 40
come out (v.): wychodzić 83
comfort (v.): pocieszać 17
cook (n.): kucharz 14, 19
cook (v.): gotować 26
cooker (n.): kuchenka 26
corridor (n.): korytarz 57
count (v.): liczyć 38
country (n.): wieś 58
cousin (n.): kuzyn, kuzynka 7
cow (n.): krowa 62
crochet (n.): szydełkowanie 46
crutch (n.): kula 57
cry (v.): płakać 17
cuddly (adj.): przytulajacy się 61
cup (n.): filiżanka 27
cupboard (n.): szafka, kredens 26
curtain (n.): zasłona 21
cushion (n.): poduszka 21
cut out (n.): wycinanka 47

Dad (n.): tata 6, 13
daisy (n.): margerytka, stokrotka 32
dance (v.): tańczyć 47
dark hair (adj.): ciemne włosy 11
daughter (n.): córka 6
day (n.): dzień 80
December (n.): grudzień 79
deck (n.): pokład 66
deckchair (n.): leżak 69
decorate (v.): zdobić 46
decoration (n.): dekoracja, ozdoba 76
deer (n.): jeleń 59
desk (n.): biurko 23, 36
dessert (n.): deser 29
difficult (adj.): trudny 73
dig (v.): kopać 53
digger (n.): koparka 53
dinghy (n.): łódka 45
dining room (n.): jadalnia 21
dirty (adj.): brudny 17
dishes (n.): naczynia 27
diving board (n.): trampolina 44
do the washing-up (v.): zmywać naczynia 27
doctor (n.): lekarz 15, 57
doe (n.): łania 59
dog (n.): pies 19, 32, 38
doll (n.): lalka 25, 49
donkey (n.): osioł 38, 62
door (n.): drzwi 20
door (n.): drzwiczki (samochodu) 64
dove (n.): gołąb 54, 72
dragon (n.): smok 51

dragonfly (n.): ważka 59
draw (v.): rysować 46
drawer (n.): szuflada 23
drawing (n.): rysunek 47
dream (v.): śnić 22
dress (n.): sukienka 13
dressing gown (n.): szlafrok 23
drink (n.): napój 28
drink (v.): pić 29
drum (n.): bęben 42
dry (adj.): suchy 24
dry (v.): suszyć 27
duck (n.): kaczka 62, 63
duckling (n.): kaczątko 63
dustbin (n.): kosz na śmieci 15
dustman (n.): zamiatacz ulic 15

ear (n.): ucho 10
easel (n.): sztaluga 36
Easter (n.): Wielkanoc 76
easy (adj.): łatwy 73
eat (v.): jeść 28
egg (n.): jajko 26, 76, 83
eggcup (n.): kieliszek na jajko 26
elbow (n.): łokieć 8
elephant (n.): słoń 60
empty (adj.): pusty 19
envelope (n.): koperta 15
evening (n.): wieczór 80
examine (v.): badać 57
expensive (adj.): drogi 74
eye (n.): oko 10
eyebrow (n.): brew 10
eyelash (n.): rzęsa 10

face (n.): twarz 10, 25
fairytale (n.): bajka 50
fall (v.): upaść 18, 24, 56
family (n.): rodzina 7, 70
famous (adj.): sławny, znany 51
fancy dress (n.): przebranie 48
fang (n.): kieł 60
farm (n.): farma 62
farmer (n.): farmer 63
farmyard (n.): podwórze farmy 63
fast (adj.): szybki 64
fasten (v.): zapiąć 67
fat (adj.): tęgi 9
father (n.): ojciec 6
Father Christmas (n.): Św. Mikołaj 76
favourite (adj.): ulubiony 40
fawn (n.): jelonek 59
February (n.): luty 79
feed (v.): karmić 54, 61
feel (v.): czuć 16, 57
feeling (n.): uczucie 16

felt tip (n.): kredka/ołówek pilśniowy 46
fern (n.): paproć 59
ferret (n.): łasica 83
festivities (n.): uroczystości 76
field (n.): pole 63
fierce (adj.): srogi, dziki 60
fight (v.): walczyć, bić się 18
find (v.): znaleźć 18
finger (n.): palec 8
fireman (n.): strażak 14
fireplace (n.): kominek 21, 76
fireworks (n.): sztuczne ognie 77
first (adj.): pierwszy 39
fish (n.): ryba 58
fishing net (n.): siatka rybacka 68
flannel (n.): rękawiczka kąpielowa 24
flat (n.): mieszkanie 20
floor (n.): piętro 20
floor (n.): podłoga 21
flower (n.): kwiatek 32
fly (v.): latać 54
foal (n.): źrebię 63
food (n.): żywność, jedzenie 28
foot (n.): stopa 9
football (n.): piłka nożna 45
football pitch (n.): boisko do piłki nożnej 44
footprint (n.): ślad, odcisk stopy 58
forehead (n.): czoło 10
forest (n.): las 59
fork (n.): widelec 27
fountain (n.): fontanna 50
fox (n.): lis 59
Friday (n.): piątek 80
friend (n.): przyjaciel 7, 70, 77, 83
frog (n.): żaba 58
frost (n.): szron, mróz 71
fruit (n.): owoc 31
frying pan (n.): patelnia 27
full (adj.): pełny 19
funfair (n.): wesołe miasteczko 74
funny (adj.): zabawny 72
furniture (n.): meble 21

gangway (n.): schody, przejście, kładka, pomost 67
garden (n.): ogród 32
giraffe (n.): żyrafa 61
girl (n.): dziewczyna 7, 46, 54, 74
give (v.): dawać 18
glass (n.): szkło, szklanka, kieliszek 27

glasses (n.): okulary 12
globe (n.): globus 36
glove (n.): rękawiczka 71
go (v.): iść 52
- **go across:** iść przez 82
- **go down:** schodzić (iść w dół) 83
- **go into:** wchodzić do 83
- **go up:** wchodzić (iść w górę) 83
goal (n.): bramka 44
goat (n.): koza 63
goggles (n.): gogle 71
gold (n.): złoto 50
gold (adj.): złoty 40
goldfish (n.): złota rybka 72
good (adj.): dobry 17, 45
goodbye (int.): do widzenia 35
goose (n.): gęś 62
gorilla (n.): goryl 61
granddaughter (n.): wnuczka 6
grandfather (n.): dziadek 7
grandmother (n.): babcia 6
grapes (n.): winogrona 29
grass (n.): trawa 32
great-grandfather (n.): pradziadek 7
green (adj.): zielony 40
green bean (n.): zielona fasola 28
grey (adj.): szary 40
ground (n.): ziemia 83
grow up (v.): rosnąć 14
guitar (n.): gitara 43
gun (n.): pistolet 74
gym (n.): gimnastyka 34
gym (gymnasium) (n.): sala gimnastyczna 34

hair (n.): włosy 10
hairbrush (n.): szczotka do włosów 25
half (n.): połowa 81
hammer (n.): młotek 47
hand (n.): ręka 8
handbag (n.): torebka 13
handlebar (n.): kierownica (rower) 65
happy (adj.): szczęśliwy 16
hard (adj.): ciężki, twardy 33
hat (n.): kapelusz 13, 74, 83
hate (v.): nienawidzieć 30
have (v.): mieć 38, 56, 81
- **have a bath:** kąpać się 24
- **have a good time:** dobrze się bawić 44
- **have fun:** dobrze się bawić 55
- **have lunch:** jeść obiad 28
head (n.): głowa 9, 10
headache (n.): ból głowy 57

headband (n.): opaska 47
headlight (n.): reflektor 64
healthy (adj.): zdrowy 57
hear (v.): słyszeć 10
heart (n.): serce 41
heel (n.): pięta 9
helicopter (n.): helikopter 49, 65
hello (int.): cześć 35
helmet (n.): kask 53
hen (n.): kura 62
hi! (int.): cześć! 34
hide (v.): chować się 18, 59
high (adj.): wysoki 70
hippopotamus (n.): hipopotam 60
hobby (n.): ulubione zajęcie 42
hold (v.): trzymać 12, 19
hole (n.): dziura 53, 83
holidays (n.): wakacje, dni wolne 64
home (n.): dom 20, 75
hood (n.): kaptur 71
hope (v.): mieć nadzieję 22
horse (n.): koń 62, 63
horse riding (n.): jeździectwo 45
hospital (n.): szpital 56
hot (adj.): gorący 78
hot air balloon (n.): balon napełniony gorącym powietrzem 65
house (n.): dom 20
houseplant (n.): roślina domowa 21
huge (adj.): wielki 60
hunt (n.): polowanie, poszukiwanie 76
hunter (n.): myśliwy 59
husband (n.): mąż 6

ice (n.): lód 71
ice cream (n.): lody 29, 69
ill (adj.): chory 57
in (prep.): w 20, 22, 24, 26, 31, 32, 36, 52, 54, 56, 58, 59, 70, 82
in the front of (prep.): przed 82
insect (n.): owad 32
inside (adv.): wewnątrz 21
instrument (n.): instrument 42
iron (n.): żelazko 49

jacket (n.): marynarka 12
jam (n.): konfitura, dżem 29
January (n.): styczeń 79

jar (n.): słoik 46
jewellery (n.): biżuteria 13
job (n.): zawód 14
joke (n.): dowcip 72
jug (n.): dzban 29
July (n.): lipiec 78
jump (n.): skok 34
jump (v.): skakać 58
jumper (n.): bluza 12
June (n.): czerwiec 78

kangaroo (n.): kangur 61
kettledrum (n.): kocioł (muz.) 42
key (n.): klucz 21, 50
kick (v.): kopać 45
king (n.): król 51
kiss (v.): całować 7
kitchen (n.): kuchnia 26
kite (n.): latawiec 69
knee (n.): kolano 8
knickers (n.): majtki 13
knife (n.): nóż 27
knit (v.): robić na drutach 46
knitting (n.): robótka na drutach 46

ladder (n.): drabina 44
lady (n.): pani 35, 53
lake (n.): jezioro 55
lamb (n.): jagnię 38, 39, 62, 63
lamp (n.): lampa 20
land (v.): lądować 67
last (adj.): ostatni 38
late (adj.): spóźniony 81
laugh (v.): śmiać się 16
laundry basket (n.): kosz na pranie 24
lawn (n.): trawnik 55
leaf (n.): liść 59
leak (n.): por 31
learn (v.): uczyć się 37
leave (v.): wyjeżdżać, wychodzić 35
left (adv.): w lewo 52
leg (n.): noga 8
lemon (n.): cytryna 31
leotard (n.): body, strój do ćwiczeń 47
letter (n.): list 15
letterbox (n.): skrzynka na listy 15
lettuce (n.): sałata 30
library (n.): biblioteka 37
lifeboat (n.): łódź ratunkowa 66

lifejacket (n.): kamizelka ratunkowa 45
light (n.): światło 22, 72
lightning (n.): błyskawica 79
like (adv.): (podobnie) jak 14
like (v.): lubić 30, 49, 72
line (n.): linia 41
lion (n.): lew 60, 73
lion cub (n.): młody lew, lwiątko 60
lip (n.): warga 10
listen (v.): słuchać 36
little (adj.): mały 74
live (v.): żyć, mieszkać 20
living room (n.): salon, pokój gościnny 21
lock (v.): zamykać na klucz 21
long (adj.): długi 11
look at (v.): patrzeć na, oglądać 7
lose (v.): przegrać 75
lorry (n.): ciężarówka 49
lot of (n.): dużo 6, 31
lottery (n.): loteria 75
loudspeaker (n.): głośnik 66
love (v.): kochać, uwielbiać 13, 30
luggage (n.): bagaż 67
lunch (n.): obiad, drugie śniadanie 28, 35

magic trick (n.): magiczna sztuczka 72
magic wand (n.): czarodziejska różdżka 72
magician (n.): czarodziej 72
make-up (n.): makijaż 41
man (n.): mężczyzna 6
mane (n.): grzywa 60
map (n.): mapa 36, 64
marble (n.): kula 34
March (n.): marzec 78
mask (n.): maska 46
mast (n.): maszt 66
May (n.): maj 78
meadow (n.): łąka 62
meal (n.): posiłek 28
meat (n.): mięso 28
medicine (n.): lekarstwo 15
melon (n.): melon 30
merry-go-round (n.): karuzela 75
midnight (n.): północ 81
milk (n.): mleko 26, 62
milk (v.): doić 62
mirror (n.): lustro 25
mitten (n.): rękawiczka 71
Monday (n.): poniedziałek 80
money (n.): pieniądze 38
monkey (n.): małpa 61

monster (n.): potwór 51
month (n.): miesiąc 78
moon (n.): księżyc 75
more (adv.): więcej 30, 38
more... than (adj.): więcej...niż... 38
morning (n.): ranek 23, 80
mother (n.): matka 6
motorbike (n.): motorower 49
mountain (n.): góra 70
mouse (n.): mysz 62, 83
mouth (n.): usta 10
Mum (n.): mama 6, 13
mushroom (n.): grzyb 30
music (n.): muzyka 42
musician (n.): muzyk 14

nail (n.): paznokieć 8
nail (n.): gwóźdź 47
naked (adj.): nagi 9
name (n.): imię 35
napkin (n.): serwetka 28
naughty (adj.): niegrzeczny 19
near (prep.): blisko 83
neck (n.): szyja 10
necklace (n.): naszyjnik 13
needle (n.): drut, igła 46
neighbour (n.): sąsiad 20
new (adj.): nowy 35, 49
next to (adj.): obok 82
nibble (v.): ogryzać 59
nice (adj.): miły, ładny 17, 78
night (n.): noc 22, 80
nightdress (n.): koszula nocna 23
nightmare (n.): koszmar (senny) 22
noise (n.): hałas, odgłos 62
nose (n.): nos 10
notebook (n.): zeszyt, notes 37
November (n.): listopad 79
number (n.): liczba, numer 38, 39
nurse (n.): pielęgniarka 57
nut (n.): orzech 59

oar (n.): wiosło 55
October (n.): październik 79
ogre (n.): olbrzym 51
oil (n.): olej, oliwa 27
old (adj.): stary 6
on (prep.): na 82
onion (n.): cebula 30
open (v.): otwierać 21
operating theatre (n.): sala operacyjna 56

orange (adj.): pomarańczowy 40

orange juice (n.): sok pomarańczowy 28

orchestra (n.): orkiestra 43

outside (adv.): na zewnątrz 20

oven (n.): piec(yk) 26

over (prep.): nad 82

owl (n.): sowa 51

package (n.): paczka 67

paint (v.): malować 36

paintbrush (n.): pędzel do malowania 36, 46

painting (n.): obraz 36

paper (n.): papier 37, 46

parent (n.): rodzic 6

park (n.): park 54

party (n.): przyjęcie 47, 75, 77

passenger (n.): pasażer 67

path (n.): ścieżka 54

pavement (n.): chodnik 52

paw (n.): łapa 60

pay attention (v.): zwracać uwagę 26

pear (n.): gruszka 31

pea (n.): groszek 30

pelican (n.): pelikan 60

pen (n.): długopis 37

pencil (n.): ołówek 37, 46

pencil case (n.): piórnik 37

penguin (n.): pingwin 61

people (n.): ludzie 12, 65

pepper (n.): pieprz 27

pepper (n.): pieprz hiszpański 30

perfume (n.): perfumy 25

pet (n.): ulubieniec (zwierzę) 32

petticoat (n.): halka 13

photograph (n.): fotografia 7

pianist (n.): pianista 43

piano (n.): pianino, fortepian 43

picnic (n.): piknik 28

pig (n.): świnia 62, 63

pigeon (n.): gołąb 54

piglet (n.): prosię 63

pigtail (n.): ogonek, kitka 11

pillow (n.): poduszka 22

pilot (n.): pilot 14

pineapple (n.): ananas 31

pink (adj.): różowy 40

pipe (n.): fajka 74

place (n.): miejsce 52

plane (n.): samolot 67

plank (n.): deska 53

plant (n.): roślina 32

plaster (n.): gips 57

plate (n.): talerz 27

platform (n.): peron 64

play (v.): grać, bawić się 34, 42, 43, 44, 48

playground (n.): plac zabaw, boisko 34, 55

pliers (n.): obcęgi 47

plumber (n.): hydraulik 15

pneumatic drill (n.): młot pneumatyczny 53

pocket (n.): kieszeń 12

poison (n.): trucizna 51

polar (adj.): polarny 61

policeman (n.): policjant 14

ponytail (n.): kucyk 11

portfolio (n.): teczka 46

postman (n.): listonosz 15

potato (n.): ziemniak 28

pour (v.): wlewać 19

pram (n.): wózek 55

present (n.): prezent 76

princess (n.): księżniczka 50

prize (n.): nagroda 75

proud (adj.): dumny 16

pull (v.): ciągnąć 19

pump (n.): pompa 63

pumpkin (n.): dynia 30

pupil (n.): uczeń 36

puppet (n.): marionetka 48, 54

purple (adj.): purpurowy 40

push (v.): pchać 18

pyjamas (n.): piżama 23

quarter (n.): kwadrans 81

quay (n.): molo, wał nadbrzeżny 66

queen (n.): królowa 51

rabbit (n.): królik 63, 82

racket (n.): rakietka 44

radish (n.): rzodkiewka 30

rain (v.): padać (o deszczu) 79

raincoat (n.): płaszcz przeciwdeszczowy 12

rake (n.): grabie 33

read (v.): czytać 37

ready (adj.): gotowy 26

recorder (n.): piszczałka 43

rectangle (n.): prostokąt 41

red (adj.): czerwony 40

red hair (adj.): rude włosy 11

rich (adj.): bogaty 50

rifle (n.): strzelba, karabin 74

right (adv.): w prawo 52

ring (n.): pierścionek 13

river (n.): rzeka 58, 82

road (n.): droga 64

robot (n.): robot 48

rock (n.): skała 58

roll (v.): zwijać 19

roof (n.): dach 20, 53

room (n.): pokój 21

round (adj.): okrągły 41

row (v.): wiosłować 55

rubber (n.): gumka 37

rucksack (n.): tornister 13

rug (n.): dywan 22

run (v.): biec 19

run away (v.): uciekać 19, 59

runway (n.): pas, tor 67

sad (adj.): smutny 17

saddle (n.): siodełko 45, 65

sail (n.): żagiel 45

sailing boat (n.): żaglówka 69

salt (n.): sól 27

sand (n.): piasek 68

sand yacht (n.): piaskowy jacht 69

sandal (n.): sandał 13

sandcastle (n.): zamek z piasku 68

sandpit (n.): piaskownica 34

Saturday (n.): sobota 80

saucepan (n.): rondel 26

saw (n.): piła 47

scarf (n.): chusteczka, szalik 12, 70

school (n.): szkoła 34

school bag (n.): torba szkolna 36

school bus (n.): autobus szkolny 35

scissors (n.): nożyczki 47, 56

score (n.): zapis nutowy 43

screwdriver (n.): śrubokręt 47

scrub (v.): szorować 25

sculpture (n.): rzeźba 46

sea (n.): morze 68

seagull (n.): mewa 69

seaside (n.): wybrzeże 68

season (n.): pora roku 78

seat (n.): miejsce 67

seat belt (n.): pas bezpieczeństwa 67

second (adj.): drugi 39

see (v.): widzieć 10

see you soon (int.): do zobaczenia wkrótce 35

seed (n.): nasiono, ziarnko 32

September (n.): wrzesień 79

settee (n.): kanapa 20

sew (v.): szyć 46

sewing (n.): szycie 46

shampoo (n.): szampon 25

shape (n.): kształt 40

sheep (n.): owca 63

sheet (n.): pościel 22

shelf (n.): półka 26

shell (n.): muszla 69

shine (v.): świecić 78

ship (n.): okręt 66

shirt (n.): koszula 12

shoe (n.): but 12

shoot (v.): strzelać 74

shop (n.): sklep 31, 52

shop (v.): robić zakupy 31

shorts (n.): szorty 13

shoulder (n.): bark, ramię 9

shout (v.): krzyczeć 19

show (n.): spektakl, pokaz, przedstawienie 54

shower (n.): prysznic 25

sign (n.): szyld, znak 52

signpost (n.): znak drogowy 52

silver (adj.): srebrny 40

sing (v.): śpiewać 43

sink (n.): zlew 27

sister (n.): siostra 6

sit (v.): siedzieć 9

sitting down (adj.): siedzący 54

skate (n.): łyżwa 71

skate (v.): jeździć na łyżwach 71

skating rink (n.): ślizgawka 71

sketchpad (n.): szkicownik 46

ski (n.): narta 70

ski (v.): zjeżdżać na nartach 70

ski boot (n.): but narciarski 70

ski run (n.): tor/zjazd narciarski 70

ski stick (n.): kij narciarski 70

skin (n.): skóra 10

skipping rope (n.): skakanka 34

skirt (n.): spódnica 13

skittle (n.): kręgiel 48

sky (n.): niebo 78

sleep (v.): spać 22

sleigh (n.): sanie 70

slide (n.): zjeżdżalnia 55, 83

slipper (n.): pantofel 23

small (adj.): mały 41, 61

smell (v.): wąchać 10

smile (v.): uśmiechać się 16

snow (n.): śnieg 70, 79

snow (v.): padać o śniegu 79

soap (n.): mydło 24

sock (n.): skarpeta 13

soft toy (n.): maskotka 48

soft-boiled egg (n.): jajko na miękko 26

soil (n.): ziemia 32

son (n.): syn 6

song (n.): piosenka 43

soon (adv.): wkrótce 26, 57

soup (n.): zupa 28

sow (v.): siać 32

spade (n.): łopata 33, 69

spades (n.): piki 75

spectator (n.): widz 72

spill over (v.): rozlać 26

spinach (n.): szpinak 30

spoon (n.): łyżeczka 27

sport (n.): sport 44

spring (n.): wiosna 78

square (n.): kwadrat 41

squirrel (n.): wiewiórka 59

stable (n.): stajnia 62

stairs (n.): schody 20, 83

stamp (n.): znaczek 15

stand (n.): podest 47

star (n.): gwiazda 22, 41, 74, 76

starfish (n.): rozgwiazda 69
station (n.): dworzec 64
station master (n.):
naczelnik stacji 64
statue (n.): pomnik 54
steal (v.): kraść 19
steeple (n.): dzwonnica, wieża
kościoła 53
steering wheel (n.): kierownica
64
stethoscope (n.): stetoskop 57
stewardess (n.): stewardesa 14
stirrup (n.): strzemię 45
stone (n.): kamień 33
stop (n.): przystanek 52
stop (v.): stać 52
storm (n.): burza 79
story (n.): historia, opowieść 22
strawberry (n.): truskawka 30
stream (n.): strumień 58
street (n.): ulica 52
stretcher (n.): nosze 56
striped (adj.): w paski 41, 60
strong (adj.): silny 50
study (v.): studiować 37
sugar (n.): cukier 31
suit (n.): garnitur 12
suitcase (n.): walizka 67
summer (n.): lato 78
sun (n.): słońce 78
Sunday (n.): niedziela 80
supper (n.): kolacja 28
surgeon (n.): chirurg 56
surprised (adj.): zaskoczony 16
swim (v.): pływać 44
swimming (n.): pływanie 44
swimming cap (n.): czepek
kąpielowy 44
swimming pool (n.): basen 44
swimsuit (n.): strój kąpielowy
68
swing (n.): huśtawka 55
switch off (v.): wyłączyć 22

table (n.): stół 21, 82
tablecloth (n.): obrus 28
tail (n.): ogon 61
take (v.): brać 18, 70
take off (v.): startować 67
tale (n.): bajka 51
tame (v.): poskromić 73
tamer (n.): treser 73
tangerine (n.): mandarynka 31
tap (n.): kurek, kran 25
target (n.): cel 74
taste (v.): smakować 10
tea towel (n.): ścierka 27
teacher (n.): nauczyciel 15, 36
teddy (bear) (n.): miś 22, 48
tee shirt (n.): podkoszulek 13
teeth (n.): zęby 10, 25

telephone (n.): telefon 19, 49
tell (v.): (o)powiedzieć 72
theatre (n.): teatr 48
thigh (n.): udo 8
thin (adj.): szczupły 9
thing (n.): rzecz 31
thread (n.): nitka 46
throne (n.): tron 50
thumb (n.): kciuk 8
thunder (n.): grzmot 79
Thursday (n.): czwartek 80
tie (n.): krawat 12
tiger (n.): tygrys 73
tights (n.): rajstopy 71
tile (n.): płytka, kafel 25
time (n.): czas 22, 81, 80
timetable (n.): rozkład jazdy 80
tinsel (n.): łańcuch 76
tired (adj.): zmęczony 23
toboggan (n.): sanki 71
toboggan (v.): zjeżdżać na
sankach 71
today (adv.): dzisiaj 13, 80
toe (n.): palec u nogi 9
toilet (n.): toaleta 25
toilet paper (n.): papier
toaletowy 25
tomato (n.): pomidor 30
tomorrow (adv.): jutro 80
tongue (n.): język 10, 11, 60
tool (n.): narzędzie 15, 47
toolbox (n.): skrzynka
z narzędziami 15
toothbrush (n.): szczotka do
zębów 25
toothpaste (n.): pasta do
zębów 25
top hat (n.): cylinder 72
touch (v.): dotykać 10
towel (n.): ręcznik 24
town (n.): miasto 52
toy (n.): zabawka 48
tracks (n.): tory 64
trailer (n.): przyczepa 49
train (n.): pociąg 49, 64
train engine (n.):
lokomotywa 64
transport (n.): transport 64
travel (v.): podróż 66
tray (n.): taca 35
treasure (n.): skarb 50
tree (n.): drzewo 54, 58, 83
triangle (n.): trójkąt 41, 42
trolley (n.): wózek 34
trousers (n.): spodnie 12
trumpet (n.): trąbka 42
trunk (n.): trąba 60
try (v.): próbować 58, 73
Tuesday (n.): wtorek 80
tummy (n.): brzuch 8
turn (v.): skręcać 52
turnip (n.): rzepa 30
turtle (n.): żółw 32
tyre (n.): opona 65

ugly (adj.): brzydki 51
umbrella (n.): parasol 12
uncle (n.): wuj 7
under (prep.): pod 82
unicorn (n.): jednorożec 50
uniform (n.): mundur 13
valley (n.): dolina 70
vase (n.): waza 21
vegetable (n.): warzywo 30
very (adv.): bardzo 70
village (n.): wioska 20
vinegar (n.): ocet 27
violin (n.): skrzypce 43
visit (v.): odwiedzać 60

wait for (v.): czekać na 53
wake up (v.): budzić się 23
walk (v.): spacerować 73
wall (n.): ściana 20
want (v.): chcieć 14
wardrobe (n.): szafa 23
wash (v.): myć 24
wasp (n.): osa 32
watch (n.): zegarek 81
watch (v.): oglądać 54
water (n.): woda 24, 29, 63
water (v.): podlewać 32
water lily (n.): lilia wodna 58
watering can (n.): konewka 32
wave (n.): fala 69
wear (v.): nosić (ubrania) 13
weasel (n.): łasica 59
weather (n.): pogoda 78
Wednesday (n.): środa 80
week (n.): tydzień 80
well (adv.): dobrze 57
well done ! (int.): brawo!
dobra robota! 16
wet (adj.): mokry 24
wheel (n.): koło 41, 65
wheelbarrow (n.): taczka 33, 53
wheelchair (n.): wózek 57
whip (n.): bat 73
whipped cream (n.):
bita śmietana 29
white (adj.): biały 40
wife (n.): żona 6
win (v.): zwyciężać,
wygrywać 75
wind (n.): wiatr 79
window (n.): okno 20, 23
windscreen (n.): przednia
szyba 64
wine (n.): wino 28

wing (n.): skrzydło 60
winter (n.): zima 79
witch (n.): wiedźma 51
with (prep.): z 34
woman (n.): kobieta 6
woolly hat (n.): wełniana
czapka 12, 71
wool (n.): wełna 46
work (v.): pracować 33
worker (n.): robotnik,
pracownik 53
workshop (n.): pracownia 47
world (n.): świat 78
wounded (adj.): ranny 34
wrist (n.): nadgarstek 8
write (v.): pisać 37

yawn (v.): ziewać 22
year (n.): rok 77, 78
yellow (adj.): żółty 40
yesterday (adv.): wczoraj 80
yoghurt (n.): jogurt 31
young (adj.): młody 6
zebra (n.): zebra 60
zebra crossing (n.): pasy
(przejście) dla pieszych
52
zoo (n.): zoo 60

Słownik polsko–angielski

ale: but 30
aleja: avenue 52
ambulans: ambulance 56
ananas: pineapple 31
aparat fotograficzny: camera 14
arena cyrkowa: circus ring 73
autobus: bus 53
autobus szkolny: school bus 35

babcia: grandmother 6
badać: examine 57
bagaż: luggage 67
bagażnik: boot 64
bajka: (fairy) tale 50, 51
baletka (but): ballet shoe 47
balkon: balcony 20
balon: balloon 74
balon napełniony gorącym powietrzem: hot air balloon 65
banan: banana 28
bańka: bubble 24
bardzo: very 70
bark: shoulder 9
basen: swimming pool 44
bat: whip 73
bawić się: play 34, 42, 43, 44, 48
bęben: drum 42
biały: white 40
biblioteczka: bookcase 37
biblioteka: library 37
biec: run 19
biszkopt: biscuit 29
bita śmietana: whipped cream 29
biurko: desk 23, 36
biżuteria: jewellery 13
blisko: near 83
blok mieszkalny: block of flats 20
blond: blond 11
bluza: jumper 12
bluzka: blouse 13
błyskawica: lightning 79
bogaty: rich 50
boisko do piłki nożnej: football pitch 44
borsuk: badger 58

botek: boot 12
Boże Narodzenie: Christmas 76
ból głowy: headache 57
brać: take 18, 70
bramka: goal 44
bransoleta: bracelet 13
brat: brother 6, 71
brązowy: brown 40
brew: eyebrow 10
broda (zarost): beard 11
broda: chin 10
brokuły: broccoli 30
brudny: dirty 17
brzeg: bank 58
brzuch: tummy 8
brzydki: ugly 51
budować: build 47, 68
budynek: building 53
budzić się: wake up 23
burza: storm 79
but: shoe 12
but narciarski: ski boot 70
butelka: bottle 28
być: be
- **be afraid of:** bać się 59
- **be bored:** być znudzonym 16
- **be hungry:** być głodnym 26
- **be kneeling:** klęczęć 9
- **be lying:** leżeć 9
- **be scared:** być przestraszonym 17
- **be sitting:** siedzieć 9
- **be standing:** stać 9, 54
- **be thirsty:** być spragnionym 29

całować: kiss 7
cebula: onion 30
cel: target 74
chcieć: want 14
chirurg: surgeon 56
chleb: bread 28
chłopiec: boy 7, 62, 65, 74
chmura: cloud 32, 79
chodnik: pavement 52
chory: ill 57
chować się: hide 18, 59
chusteczka: scarf 12
ciało: body 8
ciasto: cake 29, 77
ciągnąć: pull 19
cielę: calf 62

ciężarówka: lorry 49
ciężki, ciężko: havy 33
ciocia: aunt 7
córka: daughter 6
cukier: sugar 31
cylinder: top hat 72
cyrk: circus 72
cytryna: lemon 31
czapka: cap 12
czara: bowl 26
czarny: black 40, 51
czarodziej: magician 72
czarodziejska różdżka: magic wand 72
czas: time 22, 80, 81
czekać na: wait for 53
czekolada: chocolate 29
czepek kąpielowy: swimming cap 44
czerwiec: June 78
czerwony: red 40
cześć: hello 35
 hi 34
czoło: forehead 10
czuć: feel 16, 57
czwartek: Thursday 80
czynność: action, activity 18
czysty: clean 17
czytać: read 37

dach: roof 20, 53
dawać: give 18
deser: dessert 29
deska: plank 53
długi: long 11
długopis: pen 37
dmuchać: blow 77
dobra robota!: well done! 16
dobry: good 17, 45
dobrze: well 57
doić: milk 62
dolina: valley 70
dom: home 20, 75
 house 20
dorosły: adult 7
dotykać: touch 10
dowcip: joke 72
do widzenia: goodbye 35
do zobaczenia wkrótce: see you soon 35
drabina: ladder 44
droga: road 64
drogi (kosztowny): expensive 74

drugi: second 39
drut: needle 46
drzewo: tree 54, 58, 83
drzwi: door 20
drzwiczki (samochodu): door 64
dumny: proud 16
dużo: lot of 6, 31
duży: big 41, 61
dworzec: station 64
dynia: pumpkin 30
dywan: rug 22
dzban: jug 29
dziadek: grandfather 7
dzieci: children 58, 34-37, 44, 46, 50, 54, 55, 69, 71, 83
dziecko: baby 6, 24
dziecko: child 7
dzień: day 80
dziewczyna: girl 7, 46, 54, 74
dzisiaj: today 13, 80
dziura: hole 53, 83
dzwonek: bell 62
dzwonić (telef.): call 19
dzwonnica: steeple 53

fajka: pipe 74
fala: wave 69
farma: farm 62
farmer: farmer 63
filiżanka: cup 27
fontanna: fountain 50
fotel: armchair 21, 23
fotografia: photograph 7

gałąź: branch 58
garnitur: suit 12
gęś: goose 62
gimnastyka: gym 34
gips: plaster 57
gitara: guitar 43
globus: globe 36
głośnik: loudspeaker 66
głowa: head 9, 10
gogle: goggles 71
gołąb: dove 54, 72
gołąb: pigeon 54
gorący: hot 78
goryl: gorilla 61
gotować: cook 26

gotowy: ready 26
góra: mountain 70
grabie: rake 33
grać: play 34, 42, 43, 44, 48
groszek: pea 30
grudzień: December 79
gruszka: pear 31
gryźć: bite 18
grzmot: thunder 79
grzyb: mushroom 30
grzywa: mane 60
gumka: rubber 37
gwiazda: star 22, 41, 74, 76
gwóźdź: nail 47

halka: petticoat 13
hałas: noise 62
helikopter: helicopter 49, 65
hipopotam: hippopotamus 60
historia: story 22
huśtawka: swing 55
hydraulik: plumber 15

igła: needle 46
imię: name 35
instrument: instrument 42
iść: go 52
- go across: iść przez 82
- go down: schodzić
(iść w dół) 83
- go into: wchodzić do 83
- go up: wchodzić
(iść w górę) 83

jabłko: apple 31
jadalnia: dining room 21
jagnię: lamb 38, 39, 62, 63
jajko: egg 26, 76, 83
jajko na miękko:
soft-boiled egg 26
jednorożec: unicorn 50
jedzenie: food 28
jeleń: deer 59
jelonek: fawn 59
jesień: autumn 79
jeść: eat 28
jezioro: lake 55
jeździć na łyżwach: skate 71
jeździectwo: horse riding 45
jeżyna: blackberry 30
język: tongue 10, 11, 60
jogurt: yoghurt 31
jutro: tomorrow 80

kaczątko: duckling 63
kaczka: duck 62, 63
kalafior: cauliflower 30
kamień: stone 33
kamizelka ratunkowa:
lifejacket 45
kanapa: settee 20
kangur: kangaroo 61
kapelusz: hat 13, 74, 83
kapitan: captain 66
kaptur: hood 71
kapusta: cabbage 30
karabin: rifle 74
karczoch: artichoke 31
karmić: feed 54, 61
karta: card 72
karuzela: merry-go-round 75
kask: helmet 53
kąpiel: bath 24
kciuk: thumb 8
kieliszek: glass 27
kieliszek na jajko: eggcup 26
kieł: fang 60
kierownica (rower):
handlebar 65
kierownica (samochód):
steering wheel 64
kieszeń: pocket 12
kij narciarski: ski stick 70
klaskać: clap 16
klatka: cage 73
klatka piersiowa: chest 8
klaun: clown 43, 72
klocek: brick 48
klucz: key 21, 50
kobieta: woman 6
koc: blanket 22
kochać: love 13, 30
kocioł: cauldron 51
kocioł (muz.): kettledrum 42
kogut: cock 62
kok: bun 11
kolacja: supper 28
kolano: knee 8
kolejka (wesołe miast.):
big dipper 75
kolejka linowa: cable car 70
kolor: colour 40
koło: circle 41
koło (pojazdu): wheel 41, 65
komin: chimney 53
kominek: fireplace 21, 76
komoda: chest of drawers 23
konewka: watering can 32
konfitura: jam 29
koń: horse 62, 63
kopać: dig 53
kopać (piłkę): kick 45
koparka: digger 53
koperta: envelope 15

korytarz: corridor 57
kostka: ankle 8
koszmar (senny): nightmare
22
kosz na pranie: laundry
basket 24
kosz na śmieci: dustbin 15
koszula: shirt 12
koszula nocna: nightdress 23
koszyk: basket 31, 76, 82
kot: cat 32, 51, 82
kotwica: anchor 66
koza: goat 63
kraść: steal 19
krawat: tie 12
kręgiel: skittle 48
krowa: cow 62
król: king 51
królik: rabbit 63, 82
królowa: queen 51
krzak: bush 59
krzesło: chair 21, 36
krzyczeć: shout 19
książka: book 37
księżniczka: princess 50
księżyc: moon 75
kształt: shape 40
kubełek: bucket 68
kucharz: cook 14, 19
kuchenka: cooker 26
kuchnia: kitchen 26
kucyk: ponytail 11
kufer (skrzynia): chest 50
kula: bullet 74
kula (sprzęt medycz.):
crutch 57
kupować: buy 74
kura: hen 62
kurczak: chicken 62
kurczątko: chick 62
kurek: tap 25
kurnik: chicken house 62
kurtka: anorak 71
kuzyn, kuzynka: cousin 7
kwadrans: quarter 81
kwadrat: square 41
kwiat: flower 32
kwiecień: April 78

lalka: doll 25, 49
lampa: lamp 20
las: forest 59
latać: fly 54
latawiec: kite 69
lato: summer 78
lądować: land 67
lekarstwo: medicine 15
lekarz: doctor 15, 57
lekcja: class 34
lepszy: better 57

lew: lion 60, 73
leżak: deckchair 69
liczba: number 38, 39
liczyć: count 38
lilia wodna: water lily 58
linia: line 41
lipiec: July 78
lis: fox 59
list: letter 15
listonosz: postman 15
listopad: November 79
liść: leaf 59
lody: ice cream 29, 69
lokomotywa: train engine 64
loteria: lottery 75
lotnisko: airport 67
lód: ice 71
lubić: like 30, 49, 72
ludzie: people 12, 65
lustro: mirror 25
luty: February 79
lwiątko: lion cub 60
ładny: nice 78
łamać: break 19
łania: doe 59
łańcuch: tinsel 76
łapa: paw 60
łapać: catch 58
łasica: ferret 83
łasica: weasel 59
łatwy: easy 73
ławka: bench 37, 54
łazienka: bathroom 24
łąka: meadow 62
łokieć: elbow 8
łopata: spade 33, 69
łódka: dinghy 45
łódź: boat 48, 55, 66
łódź ratunkowa: lifeboat 66
łóżko: bed 23
łysy: bald 11
łyżeczka: spoon 27
łyżwa: skate 71

magiczna sztuczka:
magic trick 72
maj: May 78
majtki: knickers 13
makijaż: make-up 41
malować: paint 36
małpa: monkey 61
mały: little 74
mały: small 41, 61
mama: Mum 6, 13
mandarynka: tangerine 31
mapa: map 36, 64
marchew: carrot 30
margerytka: daisy 32
marionetka: puppet 48, 54
marynarka: jacket 12

marzec: March 78
maska: mask 46
maska (samoch.): bonnet 64
maskotka: soft toy 48
masło: butter 31
maszt: mast 66
matka: mother 6
mąż: husband 6
meble: furniture 21
melon: melon 30
mewa: seagull 69
mężczyzna: man 6
miasto (większe): city 20
miasto (mniejsze): town 52
mieć: have 38, 56, 81
- have a bath: kąpać się 24
- have a good time: dobrze się bawić 44
- have fun: dobrze się bawić 55
- have lunch: jeść obiad 28
mieć nadzieję: 22
miejsce: place 52
miejsce siedzące: seat 67
miesiąc: month 78
mieszkać: live 20
mieszkanie: flat 20
mięso: meat 28
miły: nice 17
miotła: broom 15
miś: teddy (bear) 22, 48
mleko: milk 26, 62
młody: young 6
młotek: hammer 47
młot pneumatyczny: pneumatic drill 53
mokry: wet 24
moneta: coin 50
morze: sea 68
most: bridge 82
motorower: motorbike 49
motyl: butterfly 32
móc: can 34
mróz: frost 71
mundur: uniform 13
muszka: bow tie 72
muszla: shell 69
muzyk: musician 14
muzyka: music 42
myć: wash 24
mydło: soap 24
mysz: mouse 62, 83
myśliwy: hunter 59

na: on 82
naczelnik stacji: station master 64
naczynia: dishes 27
nad: above 83
nad: over 82

nadgarstek: wrist 8
na dole/dnie: at the bottom of 83
nagi: naked 9
na górze/szczycie: at the top of 83
nagroda: prize 75
napój: drink 28
narta: ski 70
narzędzie: tool 15, 47
nasiono: seed 32
naszyjnik: necklace 13
nauczyciel: teacher 15, 36
na zewnątrz: outside 20
niebieski: blue 40
niebo: sky 78
niedziela: Sunday 80
niedźwiedź: bear 61
niegrzeczny: naughty 19
nienawidzić: hate 30
nitka: thread 46
noc: night 22, 80
noga: leg 8
nos: nose 10
nosić (ubrania): wear 13
nosze: stretcher 56
nowy: new 35, 49
nożyczki: scissors 47, 56
nóż: knife 27
nuty-zapis: score 43

obcęgi: pliers 47
obiad: dinner, lunch 28, 35
obok: next to 82
obraz: painting 36
obrus: tablecloth 28
ocet: vinegar 27
odcisk stopy: footprint 58
odgłos: noise 62
odwiedzać: visit 60
oglądać: watch 54
ogon: tail 61
ogonek (kitka): pigtail 11
ogród: garden 32
ogryzać: nibble 59
ojciec: father 6
okno: window 20, 23
oko: eye 10
okrągły: round 41
okręt: ship 66
okulary: glasses 12
olbrzym: ogre 51
olej, oliwa: oil 27
ołówek: pencil 37, 46
opaska na głowę: headband 47
opona: tyre 65
opowiedzieć: tell 72
opowieść: story 22
orkiestra: orchestra 43

orkiestra dęta: brass band 42
orzech: nut 59
osa: wasp 32
osioł: donkey 38, 62
ostatni: last 38
otwierać: open 21
owad: insect 32
owca: sheep 63
owoc: fruit 31
ozdoba: decoration 76

paczka: package 67
padać (o deszczu): rain 79
padać (o śniegu): snow 79
palec: finger 8
palec u nogi: toe 9
pani: lady 35, 53
pantofel: slipper 23
papier: paper 37, 46
papier toaletowy: toilet paper 25
paproć: fern 59
parasol: umbrella 12
park: park 54
pas: runway 67
pasażer: passenger 67
pas bezpieczeństwa: seat belt 67
pasek: belt 12
pasta do zębów: toothpaste 25
pasy (przejście) dla pieszych: zebra crossing 52
patelnia: frying pan 27
patrzeć na: look at 7
paznokieć: nail 8
pazur: claw 60
październik: October 79
pchać: push 18
pelikan: pelican 60
pełny: full 19
peniuar: bathrobe 24
perfumy: perfume 25
peron: platform 64
pędzel do malowania: paintbrush 36, 46
pianino: piano 43
pianista: pianist 43
piasek: sand 68
piaskownica: sandpit 34
piaskowy jacht: sand yacht 69
piątek: Friday 80
pić: drink 29
piec(yk): oven 26
pielęgniarka: nurse 57
pieniądze: money 38
pieprz: pepper 27
pierścionek: ring 13
pierwszy: first 39

pies: dog 19, 32, 38
piękny: beautiful 50
pięta: heel 9
piętro: floor 20
pik: spade 75
piknik: picnic 28
pilot: pilot 14
piła: saw 47
piłka: ball 45, 48, 68
piłka nożna: football 45
pingwin: penguin 61
piosenka: song 43
piórnik: pencil case 37
pisać: write 37
pistolet: gun 74
piszczałka: recorder 43
piżama: pyjamas 23
plac budowy: building site 53
plac zabaw: playground 34, 55
plaża: beach 69
plażowy parasol: beach umbrella 68
plecy: back 9
płakać: cry 17
płaszcz: coat 12
płaszcz przeciwdeszczowy: raincoat 12
płytka: tile 25
pływać: swim 44
pływanie: swimming 44
po: after 19, 35
pociąg: train 49, 64
pocieszać: comfort 17
pod (poniżej): below 83
pod: under 82
podest: stand 14
podkoszulek: tee shirt (T-shirt) 13
podlewać: water 32
podłoga: floor 21
podobnie jak: like 14
podróż: travel 66
poduszka: cushion 21
poduszka: pillow 22
podwórze farmy: farmyard 63
pogoda: weather 78
pokaz: show 54
pokład: deck 66
pokój: room 21
polarny: polar 61
pole: field 63
policjant: policeman 14
policzek: cheek 10
polowanie: hunt 76
połowa: half 81
pomarańczowy: orange 40
pomidor: tomato 30
pomiędzy: between 83
pomnik: statue 54
pompa: pump 63
poniedziałek: Monday 80
popołudnie: afternoon 80
por: leak 31

pora roku: season 78
posiłek: meal 28
poskromić: tame 73
pościel: sheet 22
pośladki: bottom 9
potrafić: can 34
potwór: monster 51
półka: shelf 26
półka na książki: bookshelf 48
północ: midnight 81
pracować: work 33
pracownia: workshop 47
pradziadek: great-grandfather 7
prezent: present 76
prosię: piglet 63
prostokąt: rectangle 41
próbować: try 58, 73
prysznic: shower 25
przebranie: fancy dress 48
przebudzony: awake 23
przed: in the front of 82
przedstawienie: show 54
przegrać: lose 75
przerwa: break 34
przodek: ancestor 7
przyczepa: trailer 49
przyjaciel: friend 7, 70, 77, 83
przyjęcie: party 47, 75, 77
przystanek: stop 52
przystanek autobusowy: bus stop 53
przytulający się (pieszczoch): cuddly 61
ptak: bird 54, 82
pudełko: box 21
purpurowy: purple 40
pusty: empty 19

rajstopy: tights 71
rakietka: racket 44
ramię: arm 8, 34
ranek: morning 23, 80
ranny: wounded 34
reflektor: headlight 64
ręcznik: towel 24
ręka: hand 8
rękawiczka: glove 71
rękawiczka jednopalcowa: mitten 71
rękawiczka kąpielowa: flannel 24
robotnik: worker 53
robić na drutach: knit 46
robić zakupy: shop 31
robot: robot 48
robótka na drutach: knitting 46

rodzic: parent 6
rodzina: family 7, 70
rok: year 77, 78
rolnik: farmer 63
rondel: saucepan 26
rosnąć: grow up 14
roślina: plant 32
roślina domowa: houseplant 21
rower: bicycle, bike 56, 65
rozgwiazda: starfish 69
rozkład jazdy: timetable 80
rozlać: spill over 26
różowy: pink 40
rude włosy: red hair 11
ryba: fish 58
rysować: draw 46
rysunek: drawing 47
rzecz: thing 31
rzeka: river 58, 82
rzepa: turnip 30
rzeźba: sculpture 46
rzęsa: eyelash 10
rzodkiewka: radish 30

sala gimnastyczna: gym 34
sala lekcyjna: classroom 36
sala operacyjna: operating theatre 56
salon: living room 21
sałata: lettuce 30
samochód: car 64
samolot: (aero)plane 67
sandał: sandal 13
sanie: sleigh 70
sanki: toboggan 71
sąsiad: neighbour 20
schody: stairs 20, 83
ser: cheese 31
serce: heart 41
serwetka: napkin 28
siać: sow 32
siatka rybacka: fishing net 68
siedzieć: sit 9
siedzący: sitting down 54
sierpień: August 78
silny: strong 50
siodełko: saddle 45, 65
siostra: sister 6
skakać: jump 58
skakanka: skipping rope 34
skała: rock 58
skarb: treasure 50
skarpeta: sock 13
sklep: shop 31, 52
skok: jump 34
skóra: skin 10
skręcać: turn 52
skrzydło: wing 60

skrzynka na listy: letterbox 15
skrzynka z narzędziami: toolbox 15
skrzypce: violin 43
sławny: famous 51
słoik: jar 46
słoń: elephant 60
słońce: sun 78
słuchać: listen 36
słyszeć: hear 10
smakować: taste 10
smok: dragon 51
smutny: sad 17
smyczek: bow 43
sobota: Saturday 80
sok pomarańczowy: orange juice 28
sowa: owl 51
sól: salt 27
spacerować: walk 73
spać: sleep 22
spektakl: show 54
spinacz do bielizny: clothes peg 25
spodnie: trousers 12
sport: sport 44
spódnica: skirt 13
spóźniony: late 81
srebrny: silver 40
srogi: fierce 60
stajnia: stable 62
startować: take off 67
stary: old 6
statek: boat 48, 55, 66
stetoskop: stethoscope 57
stewardesa: stewardess 14
stodoła: barn 62
stokrotka: daisy 32
stołówka: canteen 35
stopa: foot 9
stół: table 21, 82
straszny: awful 16
strażak: fireman 14
strój kąpielowy: swimsuit 68
strumień: stream 58
strych: attic 21
strzelać: shoot 74
strzelba: rifle 74
strzemię: stirrup 45
studiować (uczyć się): study 37
styczeń: January 79
suchy: dry 24
sufit: ceiling 20
sukienka: dress 13
suszyć: dry 27
syn: son 6
sypialnia: bedroom 22
szafa: wardrobe 23
szafka kuchenna: cupboard 26
szafka łazienkowa: bathroom cabinet 25

szalik: scarf 70
szampon: shampoo 25
szary: grey 40
szczęśliwy: happy 16
szczotka do włosów: hairbrush 25
szczotka do zębów: toothbrush 25
szczotkować: brush 25
szczupły: thin 9
szczyt: top 73
szkicownik: sketchpad 46
szklanka: glass 27
szkło: glass 27
szkoła: school 34
szlafrok: dressing gown 23
szorować: scrub 25
szorty: shorts 13
szpinak: spinach 30
szpital: hospital 56
szron: frost 71
sztaluga: easel 36
sztuczne ognie: fireworks 77
szuflada: drawer 23
szyba przednia (samoch.): windscreen 64
szybki: fast 64
szycie: sewing 46
szyć: sew 46
szydełkowa robótka: crochet 46
szyja: neck 10
szyld: sign 52
ściana: wall 20
ścierka: tea towel 27
ścieżka: path 54
ślad: footprint 58
ślizgawka: skating rink 71
śmiać się: laugh 16
śniadanie: breakfast 28
śnić: dream 22
śnieg: snow 70, 79
śpiący: asleep 22
śpiewać: sing 43
środa: Wednesday 80
śrubokręt: screwdriver 47
świat: world 78
światło: light 22, 72
świecić: shine 78
świeczka: candle 51, 77
Święty Mikołaj: Father Christmas, Santa Claus 76
świnia: pig 62, 63

tablica: blackboard 36
taca: tray 35
taczka: wheelbarrow 33, 53
talerz: plate 27
tani: cheap 74
tańczyć: dance 47

tata: Dad 6, 13
teatr: theatre 48
teczka: portfolio 46
telefon: telephone 19, 49
tęgi: fat 9
tłuc: break 19
toaleta: toilet 25
tor/zjazd narciarski:
  ski run 70
torba: bag 67
torba szkolna: school bag 36
torebka: handbag 13
tornister: rucksack 13
tory: tracks 64
trampolina: diving board 44
transport: transport 64
trawa: grass 32
trawnik: lawn 55
trąba (słonia): trunk 60
trąbka: trumpet 42
trefl: club 75
treser: tamer 73
tron: throne 50
trójkąt: triangle 41, 42
trucizna: poison 51
trudny: difficult 73
truskawka: strawberry 30
trzymać: hold 12, 19
twarz: face 10, 25
tydzień: week 80
tygrys: tiger 73

ubrania: clothes 12
ucho: ear 10
uciekać: run away 19, 59
uczeń: pupil 36
uczucie: feeling 16
uczyć się: learn 37
udo: thigh 8
ulica: street 52
ulubieniec (zwierzę):
  pet 32
ulubiony: favourite 40
ulubione zajęcie: hobby 42
umieć: can 34
umywalka: basin 25
upaść: fall 18, 24, 56
urodziny: birthday 77
uroczystości: festivities 76
usta: mouth 10
uśmiechać się: smile 16
uzda: bridle 45

w: in 20, 22, 24, 26, 31, 32,
  36, 52, 54, 56, 58, 59,
  70, 82
wagon: carriage 64

wakacje: holidays 64
walczyć: fight 18
walizka: suitcase 67
wał nadbrzeżny: quay 66
wanna: bathtub 25
warga: lip 10
warkocz: braid 11
warzywo: vegetable 30
waza: vase 21
ważka: dragonfly 59
wąchać: smell 10
wczoraj: yesterday 80
wełna: wool 46
wełniana czapka: woolly hat 12, 71
wesołe miasteczko:
  funfair 74
wewnątrz: inside 21
wiatr: wind 79
widelec: fork 27
widz: spectator 72
widzieć: see 10
wieczór: evening 80
wiedźma: witch 51
Wielkanoc: Easter 76
wielki: huge 60
wieś: country 58
wiewiórka: squirrel 59
więcej: more 30, 38
więcej...niż...: more...than... 38
wino: wine 28
winogrona: grapes 29
wiolonczela: cello 43
wioska: village 20
wiosło: oar 55
wiosłować: row 55
wiosna: spring 78
wiśnia: cherry 29
wkrótce: soon 26, 57
wlewać: pour 19
w lewo: left 52
włosy: hair 10
  ciemne włosy:
  dark hair 11
  rude włosy: red hair 11
wnuczka: granddaughter 6
woda: water 24, 29, 63
wózek: pram 55
wózek: trolley 34
wózek: wheelchair 57
w prawo: right 52
wrzesień: September 79
wspinać się: climb 18
wtorek: Tuesday 80
wuj: uncle 7
wybrzeże: seaside 68
wychodzić: come out 83
wycinanka: cut out 47
wygrywać: win 75
wyjeżdżać: leave 35
wyłączyć: switch off 22
wypadek: accident 56
wysoki: high 70

z: with 34
za: behind 82
zabawka: toy 48
zabawny: funny 72
zajęcie: activity 46
zamek: castle 50
zamek z piasku: sandcastle 68
zamykać: close 21
zamykać na klucz: lock 21
zapiąć: fasten 67
zapis nutowy: score 43
zaskoczony: surprised 16
zasłona: curtain 21
zatrzymać się: stop 52
zawód: job 14
zderzak: bumper 64
zdobić: decorate 46
zdrowy: healthy 57
zebra: zebra 60
zegar: clock 81
zegarek: watch 81
zespół (orkiestra): band 42
zeszyt: notebook 37
zęby: teeth 10, 25
zielona fasola: green bean 28
zielony: green 40
ziemia: ground 83
ziemia: soil 32
ziemniak: potato 28
ziewać: yawn 22
zima: winter 79
zimny, zimno: cold 79
zjeżdżać na nartach: ski 70
zjeżdżać na sankach:
  toboggan 71
zjeżdżalnia: slide 55, 83
zlew: sink 27
złoto: gold 50
złota rybka: goldfish 72
złoty: gold 40
zły (rozgniewany): angry 17
zły: bad 17
zmęczony: tired 23
zmywać naczynia:
  do the washing-up 27
znaczek: stamp 15
znak: sign 52
znak drogowy: signpost 52
znaleźć: find 18
zoo: zoo 60
zupa: soup 28
zwierzę: animal 61, 62
zwijać: roll 19
zwracać uwagę: pay
  attention 26
zwyciężać: win 75
źrebię: foal 63
żaba: frog 58

żagiel: sail 45
żaglówka: sailing boat 69
żelazko: iron 49
żona: wife 6
żółty: yellow 40
żółw: turtle 32
żyć: live 20
żyrafa: giraffe 61
żywność: food 28

Gramatyka

CZASOWNIKI

Czas teraźniejszy

Be (być)

I am	Ja jestem	**I am not**	Ja nie jestem	**Am I?**	Czy ja jestem?
You are	Ty jesteś	**You are not**	Ty nie jesteś	**Are you?**	Czy ty jesteś?
He is	On jest	**He is not**	On nie jest	**Is he?**	Czy on jest?
She is	Ona jest	**She is not**	Ona nie jest	**Is she?**	Czy ona jest?
It is	Ono jest	**It is not**	Ono nie jest	**Is it?**	Czy ono jest?
We are	My jesteśmy	**We are not**	My nie jesteśmy	**Are we?**	Czy my jesteśmy?
You are	Wy jesteście	**You are not**	Wy nie jesteście	**Are you?**	Czy wy jesteście?
They are	Oni/One są	**They are not**	Oni/One nie są	**Are they?**	Czy oni/one są?

Have got (mieć)

I have got	Ja mam	**I have not got**	Ja nie mam	**Have I got?**	Czy ja mam?
You have got	Ty masz	**You have not got**	Ty nie masz	**Have you got?**	Czy ty masz?
He has got	On ma	**He has not got**	On nie ma	**Has he got?**	Czy on ma?
She has got	Ona ma	**She has not got**	Ona nie ma	**Has she got?**	Czy ona ma?
It has got	Ono ma	**It has not got**	Ono nie ma	**Has it got?**	Czy ono ma?
We have got	My mamy	**We have not got**	My nie mamy	**Have we got?**	Czy my mamy?
You have got	Wy macie	**You have not got**	Wy nie macie	**Have you got?**	Czy wy macie?
They have got	Oni/One mają	**They have not got**	Oni/One nie mają	**Have they got?**	Czy oni/one mają?

Present Simple, Present Continuous

- Czasu **Present Simple** używamy, jeśli chcemy wyrazić, że jakaś czynność ma charakter stały lub powtarzający się:

    In winter, it **snows** – Zimą pada śnieg.

    After school, the children **play** – Po szkole dzieci się bawią.

    Martine **does not play** tennis – Martynka nie gra w tenisa.

    Does Jean **play** football? – Czy Jean gra w piłkę nożną?

- Czas **Present Continuous** stosujemy dla wyrażenia, że jakaś czynność odbywa się w chwili, gdy o niej mówimy:

    It **is snowing**! – Pada śnieg!

    The children **are playing** – Dzieci się bawią.

    Martine **is not playing** tennis today – Martynka nie gra dziś w tenisa.

    Is Jean **playing** football? – Czy Jean gra w piłkę nożną (teraz)?

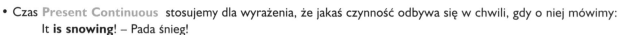

Present Simple

Play (bawić się, grać)

I play every day	Ja bawię się każdego dnia
You play	Ty bawisz się
He plays	On bawi się
She plays	Ona bawi się
It plays	Ono bawi się
We play	My bawimy się
You play	Wy bawicie się
They play	Oni/One bawią się

Present Continuous

Play (bawić się, grać)

I am playing now	Ja bawię się teraz
You are playing	Ty bawisz się
He is playing	On bawi się
She is playing	Ona bawi się
It is playing	Ono bawi się
We are playing	My bawimy się
You are playing	Wy bawicie się
They are playing	Oni/One bawią się

Nakazy, zakazy

Open the door!
Otwórz drzwi!

Don't fall in the water!
Nie wpadnij do wody!

Let's play!
Pobawmy się!

ZAIMKI

He On	Jean is thirsty. He is drinking. Jean jest spragniony. On pije.	He = Jean
She Ona	The nurse is looking after Martine. She is nice. Pielęgniarka opiekuje się Martynką. Ona jest miła.	She = nurse
It Ono, To (dziecko, zwierzę, przedmiot)	The bird is in the sky. It is flying. Ptak jest na niebie. Lata. Martine is eating an apple. It is good. Martynka je jabłko. Ono jest dobre.	It = bird It = apple

PYTANIA

Who?	Kto?	Who are you? Kim jesteś? (Kto ty jest
What?	Co?	What are you doing? Co robisz?
Where?	Gdzie?	Where do you Gdzie mies
When?	Kiedy?	When is na? Kiedy
Whose?	Czyj?	Who
Why?	Dlaczego?	u got? here?
How?	Jak?	
How much?	Ile? (niepoli	
How many?	Ile? (p	

FORMA DZIERŻAWCZA

Martine's dog is Patapouf.
Psem Martynki jest Pufek.

Mum's dress is blue.
Sukienka mamy jest niebieska.

PRZYMIOTNIKI

W języku angielskim przymiotniki mają jedną formę – bez względu na liczbę i rodzaj rzeczownika, którego dotyczą:

a beautiful day
piękny dzień

a beautiful dress
piękna sukienka

beautiful balloons
piękne balony

OKREŚLNIKI DZIERŻAWCZE

my	mój, moja, moje, moi	**my friend, my friends**	mój przyjaciel, moi przyjaciele
your	twój, twoja, twoje, twoi	**your sister, your sisters**	twoja siostra, twoje siostry
his	jego	**his Dad, his Mum, his dogs**	jego tata, jego mama, jego psy
her	jej	**her Dad, her Mum, her cats**	jej tata, jej mama, jej koty
its	tego (jego, np. zwierzęcia)	**its nose, its ears**	jego nos, jego uszy
our	nasz, nasza, nasze	**our ball, our toys**	nasza piłka, nasze zabawki
your	wasz, wasza, wasze	**your house, your books**	wasz dom, wasze książki
their	ich	**their piano, their dresses**	ich pianino, ich sukienki

DATA

Piszemy:	**Sunday, 15th March 2005**	Niedziela, 15 marca 2005
Czytamy:	**The fifteenth of March two thousand and five.**	

Piszemy:	**Monday, 3rd May 1999**	Poniedziałek, 3 maja 1999
Czytamy:	**The third of May nineteen ninety-nine.**